D1292914

EXTRAÑOS TESTIMONIOS

Prosas ardientes y otros relatos góticos

EXTRAÑOS TESTIMONIOS

Prosas ardientes y otros relatos góticos

DAÍNA CHAVIANO

EXTRAÑOS TESTIMONIOS.
Prosas ardientes y otros relatos góticos

EDICIONES HUSO
[Mayda B. Performance S.L.]
c/ Arties 2 Puerta 95 - 28660 Boadilla del Monte, Madrid
husoeditorial@maydabperformance.es
www.husoeditorial.es

Diseño de catálogo: Carril Bustamante
Colaboración editorial: María Elena Soto
Corrección ortotipográfica: Irene Muñoz Serrulla

ISBN: 978-84-946245-4-4
Depósito Legal: M-41326-2016

Impreso en ServicePoint
c/ Salcedo, 2. 28034 Madrid

Quizás los que decían que no había fantasmas
solo tenían miedo de reconocerlo.

Michael Ende, *La historia interminable.*

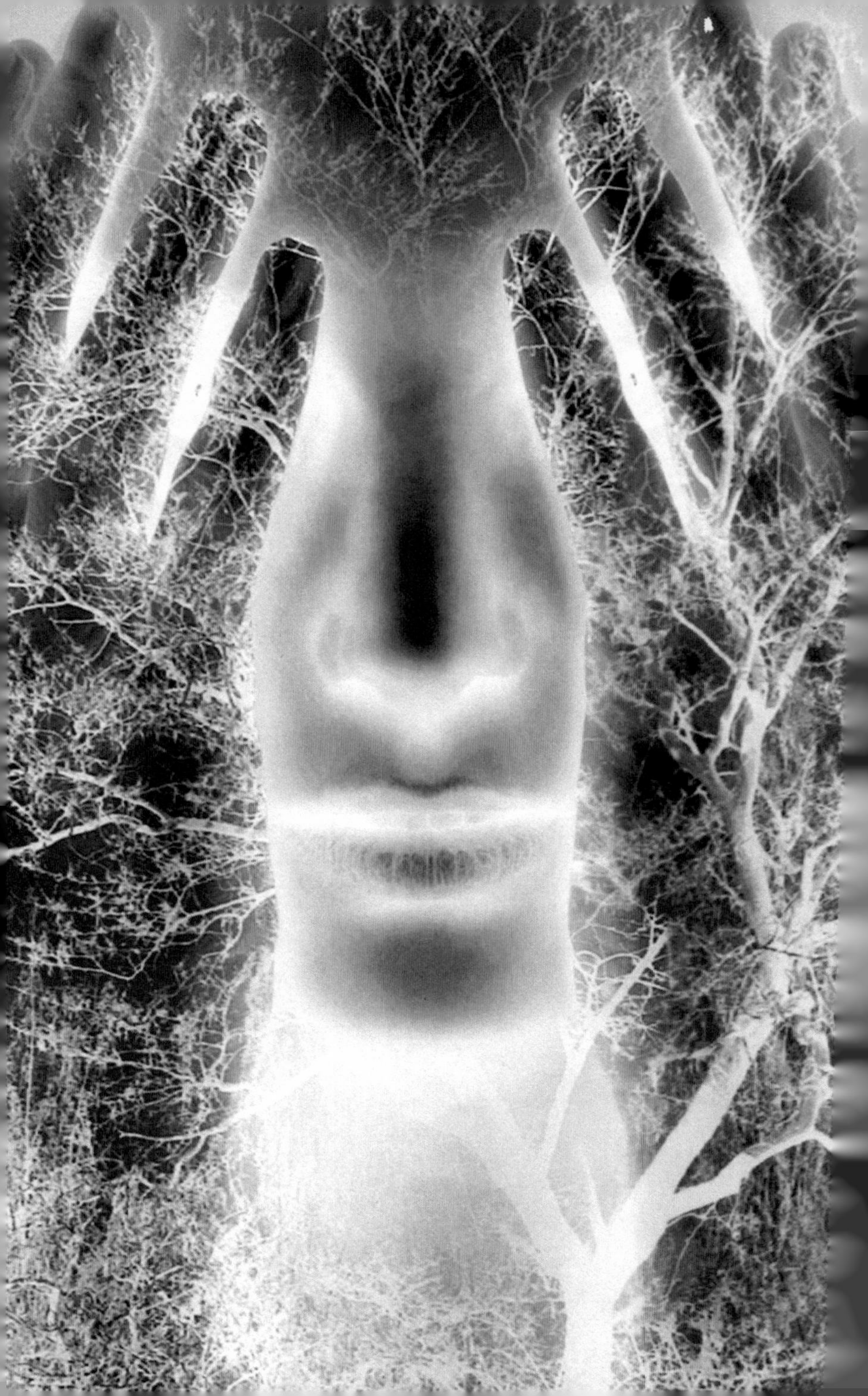

REVELACIONES DE LA EXTRAÑEZA

Tuve el privilegio de ser uno de los primeros lectores de estos cuentos en una Habana lejana e irrecuperable, irremediablemente idealizada por la memoria. Inaugurando una costumbre que se ha mantenido a lo largo de muchos años, su autora, Daína Chaviano, me los dio a conocer para escuchar mis opiniones con la misma atención y confianza con que yo he oído y sigo oyendo las suyas.

Si cierro los ojos, soy capaz de recordar perfectamente la textura del feo papel de 8,5 por 13 pulgadas, hecho con bagazo de caña, en que estaban mecanografiados los relatos —no, aún no había empezado la era de las computadoras—. Incluso me parece estar viendo el color grisáceo, un tanto desvaído, de las letras, tan diferentes de las que imprimen nuestras sofisticadas máquinas láser de hoy.

Aquellos relatos que exploraban distintas vertientes de lo fantástico me entusiasmaron y más de una vez le insistí a su autora para que los reuniera en un libro. Pero para ella, en ese momento, eran una suerte de pequeños escapes o aventuras creativas, digresiones que se permitía mientras trabajaba en una serie de proyectos de mayor aliento, como la novela *Fábulas de una abuela extraterrestre*, el poemario *Confesiones eróticas y otros hechizos* o el libro de viñetas satíricas *El abrevadero de los dinosaurios*.

"Ya veré qué hago con ellos", me repetía, evasiva, cada vez que yo salía en defensa de esas historias sin lectores y le reclamaba su derecho a ser publicadas. Y con excepción de un par de ellas que vieron la luz en alguna revista literaria o antología del cuento cubano, seguían añejándose, como los buenos rones, en el fondo de una gaveta de su elegante escritorio de cedro, herencia de un abuelo poeta.

Años después de escritos, por fin esos relatos se reúnen con el título *Extraños testimonios*, y compruebo con satisfacción que su magia y su capacidad de encantamiento no han disminuido. Daína Chaviano acertó al destacar el rasgo que unifica esta decena de historias ambientadas en escenarios y épocas disímiles, construidas con técnicas narrativas que van de la primera persona al narrador omnisciente, desde la escritura en forma de diario al relato epistolar: *la extrañeza*. La condición de sorprendente y de fuera de lo común, que se expresa a través de personajes, anécdotas y atmósferas, es el común denominador de sus cuentos. A través de ellos, logramos entrever imágenes y experimentar sensaciones insólitas, a veces luminosas, pero casi siempre perturbadoras o francamente escalofriantes, asociadas con mitos y leyendas primigenios, con el erotismo y con obsesiones enraizadas en nuestros imaginarios.

La indeleble conexión de Chaviano con lo insólito, lo simbólico y lo onírico, le ha permitido dejar testimonio, para nosotros, de lo que acontece en esa extensión de nuestro universo que se conoce como fantasía. De eventos, salvo una que otra excepción, de naturaleza oscura y enigmática, en los que desempeñan un papel fundamental una galería de seres (humanos o sobrenaturales) tenebrosos y aviesos, y un humor tan negro y perverso como refinado.

Un recorrido por las páginas de este libro, dividido en dos secciones: "Sacrilegios nocturnos" y "Prosas ardientes", pone de relieve que cada uno de sus cuentos es un pequeño mundo al que se nos permite asomarnos, durante unos breves instantes, para ser testigos de lo que en ellos acontece. El quehacer de los creadores de ficciones es recreado en dos fábulas deliciosas: "Teje, araña, teje" y "Había una vez..."; la partitura de Igor Stravinsky pareciera servir de fondo musical a "El pájaro de fuego", viñeta sobre la desesperación de una joven que descubre el secreto que ocultaba su amado; "La joya" es un clásico relato de horror, pero arropado por la estética del Art Nouveau; "Discurso sobre el alma" enumera, en una suerte sintética de *lectio magistralis*, los mandamientos del alma (que, para quienes no lo sepan, son cincuenta, ni uno más ni uno menos), y "Elogio de la locura" revisita el texto de Erasmo de Rotterdam a través de las vicisitudes de un personaje que salta las barreras temporales cuando se ve obligado a enfrentar su angustia.

Mientras la narración de "Nuestra señora de los ofidios", un cuento que combina de modo inquietante la sexualidad y la depredación, avanza hacia su inesperado desenlace con la sinuosidad y la elegancia de una serpiente, "El duende" tiene, por el contrario, una composición fragmentaria, lúdica y saltarina, y un color disímil, resultado de la mezcla del candor y el lirismo de los cuentos infantiles y del mundo feérico con una ironía que observa críticamente el cada vez más precario cultivo de la imaginación en el entorno contemporáneo.

El amor por los mitos de distintas culturas y su revisión creativa han sido fundamentales en la obra de Daína Chaviano desde el inicio de su carrera. Así pues, no es raro que nos proponga una singular variante de la licantropía en "Vida secreta de una mujer-loba" y que actualice —asociándolo con la antigua civilización maya— el universo de los vampiros. Por su parte, "Gárgola mía" —un relato que no trata de ocultar su filiación con los cosmos lóbregos y malignos de Poe y de Lovecraft— entremezcla misterio, terror y una sensualidad tan brutal como subyugante para recrear la sobrevivencia de un culto milenario en el bucólico y aburrido entorno de una localidad rural cubana de los años 1940. Y "Las amantes", historia plasmada a la manera de un divertimento dramatúrgico, lanza una mirada maliciosa e indiscreta a Lilith y Eva, las dos mujeres de Adán.

Algo que me atrae especialmente de estos "testimonios" es la multiplicidad de lecturas e interpretaciones que permiten. Por ejemplo, podría darse por sentado que una colección de cuentos de esta naturaleza esté divorciada del plano real, pero no es así. Las ficciones de Chaviano suelen moverse en más de una dimensión, y una buena prueba de ello es "Estirpe maldita", relato narrado en primera persona por un joven miembro de una familia de monstruos caníbales, que alude inequívocamente al *modus vivendi* de la Cuba de las últimas décadas: escasez de comida, espionaje y delación entre vecinos o familiares, necesidad de ocultarse para la supervivencia de la individualidad en un régimen que pretende la homogeneización de los ciudadanos...

A lo largo de nuestra existencia, hemos sido testigos o hemos vivido inmersos en sucesos y situaciones extraordinarios, pero al parecer existe una especie de condicionamiento o de regla no escrita que nos impulsa a fingir que no los percibimos o a olvidarlos como si jamás hubieran existido. Daína Chaviano es, en ese sentido, una excepción. Aunque la mayoría de sus historias surge de su pródiga imaginación, otras han tenido como detonantes vivencias personales. La pérdida de un amante fue el origen de "La sustancia de los sueños", cuento que habla de presencias fantasmales y reencuentros de ultratumba. Y soy testigo de que —por increíbles que parezcan— algunos de los incidentes que se refieren en "Ciudad de oscuro rostro" ocurrieron realmente en un apartamento de La Habana, donde nos reuníamos cada semana, a mediados de los años 1980, los integrantes de un pequeño grupo de escritores amigos y amantes de la literatura fantástica.

Estudiosa de las leyendas, Daína Chaviano ha devenido una ella misma por el halo de belleza y misterio que la rodea. Para mí, y así lo confirman estos cuentos, Chaviano es algo más que una autora de probado oficio y con particular sensibilidad para aventurarse en los más intrincados territorios de lo imaginario. Es una suerte de dama duende, un adorable fantasma capaz de cautivar a sus lectores y de conducirlos a universos donde conviven, jubilosa y salvajemente, todo tipo de criaturas fantásticas: desde gnomos y unicornios hasta faunos y dragones. Una autora, en fin, convencida de que "la realidad no está hecha solo de luz; también las sombras se ocultan en los resquicios de sus múltiples recovecos". Y para que no quepa la menor duda de ello, ha revelado, al fin, estos *Extraños testimonios*.

Antonio Orlando Rodríguez

SACRILEGIOS NOCTURNOS

Estirpe maldita

Ya es cerca de la medianoche y pronto comenzarán los ruidos. Desde aquí podré observarlo todo: cada movimiento en el interior de la casa, cada susurro, cada visitante clandestino. Como siempre, estaré en mi puesto hasta la salida del sol. Y mientras el vecindario duerme, solo dos viviendas permanecerán en la vigilia: la mía y «esa».

Nos alumbramos poco, al igual que ellos, para no llamar la atención. Mis padres y mis hermanos se mueven con sigilo, sin que ningún ajetreo llegue afuera. A cada rato, mamá o papá dejan un instante sus ocupaciones para curiosear un poco. También mis hermanos abandonan sus juegos y tratan de percibir alguna cosa tras los cristales. Solo yo permanezco firme, sin desviarme un ápice de lo que considero mi mayor deber: descubrir qué sucede en esa casa.

No sé por qué lo hago. No sé de dónde sale esta obsesión de espionaje perpetuo. Es un reflejo, casi una enfermedad; algo que he aprendido de los mayores. Papá y mamá dan el ejemplo, aunque sin mucho convencimiento. Dicen que es su obligación. No obstante, cuando mis hermanos preguntan acerca del origen de esta vigilia, ninguno sabe dar una respuesta coherente. Yo no me caliento la cabeza con estas cosas. Me limito a cumplir con mi deber.

Acaban de dar las doce, y me empino sobre el borde del techo para ver mejor. Ahora empezará el trajín. En efecto. Ya encendieron una luz en el piso alto. Es la vieja. Puedo verla a través de una ventana rota. Se mueve por su habitación llena de trastos, mientras se alumbra con un cabo de vela. Se agacha junto a lo que parece un baúl. Intenta separarlo de la pared, pero no logra moverlo. Entonces deja la palmatoria en el suelo y empuja con todas sus fuerzas hasta que el mueble se despega del rincón. La vieja se inclina sobre él, como si fuera a sacar algo... En ese instante, alguien tropieza conmigo y casi pierdo el equilibrio. Es mi hermano menor.

—¿Qué haces aquí, idiota? —le recrimino en voz baja—. Por poco me matas del susto.

—Vine a jugar —responde sin notar mi furia, y esparce una porción de huesecillos por el alero.

—¿Y desde cuándo juegas en la azotea?

—Hace calor allá adentro.

Coge dos falanges y comienza a golpearlas entre sí, como si fuesen espadas diminutas.

Contemplo de reojo la casa, pero ya la vieja ha desaparecido con vela y todo. Me he quedado sin saber qué pretendía sacar de aquel rincón.

—¿Y esas? —le pregunto sin mucho interés, porque ahora descubro a dos figuras que atraviesan rápidamente la entrada y son conducidas de inmediato al interior por alguien que les abre la puerta—. ¿Son nuevas?

Mi hermano me mira un momento, sin comprender.

—¡Ah! ¿Estas?... Eran del bebé de los Rizo.

—¿El que enterraron la semana pasada?

—No. Aquel era nieto de la señora Cándida. Este es un bebé mucho más antiguo.

Una música perezosa sube y baja de tono hasta perderse en un murmullo: alguien manipula una radio en la casa vecina. Por alguna razón, sé que está prohibido escuchar las voces y las noticias que provienen de la lejanía. Adivino el afán del oyente por eludir la interferencia con que intentan impedir que penetre cualquier señal del exterior. Estamos aislados. No solo nosotros, ellos también...

—¡Vamos, cobarde! —dice mi hermano con una vocecita impostada, haciendo chocar los huesos a manera de espadas—. ¡No huyas y enfréntate a mi furia!

—Vete de aquí —lo empujo un poco para recobrar mi lugar—. Si no bajas enseguida, le diré a papá que no vuelva a llevarte.

Él se encoge de hombros.

—Ya no tengo que ir al osario para conseguir juguetes. Mami siempre...

—Si no te vas ahora mismo, te tiro de cabeza. ¿No ves que estoy ocupado?

La puerta principal de la casa se abre con lentitud. Un hombre asoma la cabeza para inspeccionar los alrededores. Después vuelve a entrar. Enseguida vuelve a salir. Lleva un cuchillo en la mano. Se acerca sigiloso hasta un rincón del jardín y empieza a cavar un hoyo, ayudándose de ese instrumento. Rápidamente entierra un paquete de mediano tamaño que ha sacado de sus ropas. En medio del silencio de la madrugada, lo oigo murmurar:

—No podré usarlo yo, pero tampoco lo tendrán ellos.

Finaliza su tarea y regresa al interior.

Mi hermano me empuja para tener más espacio.

—¡Pedazo de estúpido! —me vuelvo hacia él, dispuesto a cualquier cosa.

Lo sacudo por el cuello y aprieto con todas mis fuerzas hasta que se desmadeja por falta de aire. Parece haber perdido el conocimiento. Entonces mis ojos se vuelven hacia la casa y, al mirar por una ventana del piso alto, tropiezan con un espectáculo inusitado: una luz difusa cae sobre una cama donde se desnuda una pareja. Me quedo atónito. Suelto a mi hermano y, tres segundos después, escucho el ruido sordo de un cuerpo que cae sobre el pavimento, muchos metros más abajo. Apenas le presto atención al despachurro, porque distingo otra silueta que abandona la casa y atraviesa el jardín. En ese instante, un nubarrón inmenso cubre el disco de la luna y me quedo sin saber si era hombre o mujer aquello que se aleja por la acera con un bulto entre los brazos.

Un gong lejanísimo me devuelve a la realidad. Es mi madre que nos llama a cenar. Observo por un segundo la casona envuelta en tinieblas y me separo del alero con reticencia.

Cuando entro al comedor, ya están todos sentados a la mesa. Mamá sirve una sopa roja y espesa como jugo de remolacha. Pruebo la primera cucharada y casi me quemo los labios.

—¡Está hirviendo! —protesto.

—Ten cuidado con el mantel —me advierte ella—. Ya sabes cómo mancha eso.

—¡No me gusta la sangre vieja! —se queja uno de mis hermanos.

—Pues tendrás que conformarte. La cosa se está poniendo cada día más difícil, y ya no puedo conseguirla fresca como antes.

—¿De dónde la sacaste? —pregunta mi padre, devorando un trozo de oreja.

—Me la vendió Gertrudis a sobreprecio. La tenía en el congelador desde hace seis meses, porque Luisito... —mira en torno—. ¿Dónde está Junior?

Todos dejamos de comer para fijarnos en el puesto vacío de mi hermano. Entonces recuerdo.

—Creo que... —se me hace un nudo en la garganta.

Le tengo horror a los castigos.

Muchos ojos me miran en silencio, esperando una explicación. Decido contarlo todo: mi tenaz vigilancia sobre la mansión, el sospechoso comportamiento de la vieja, el sigilo del enterrador de tesoros, la brusca interrupción de mi hermano y nuestro forcejeo en la azotea, la pareja en el cuarto, el ruido de un cuerpo que cae sobre el cemento, el misterioso personaje que abandona la casa... Me preparo para lo peor.

—¿Y no pudiste ver lo que llevaba aquel hombre? —pregunta mi madre.

—Ni siquiera sé si era un hombre: había mucha oscuridad.

—¡Qué mala suerte!

Comen en silencio.

—Entonces, ¿qué hacemos con Junior? —dice mi padre, dejando unas manchas sanguinolentas en su servilleta.

—Lo mejor será aprovecharlo —decide mamá—. ¿Qué les parece un aporreado de sesos para mañana?

Todos gritamos con entusiasmo.

Mamá se pone de pie y va en busca del postre, pero yo no puedo esperar. Me acerco al balcón y trepo nuevamente hasta la azotea. El viento hace rechinar los tablones desprendidos del desván. Desde allí percibo el escándalo apagado de mis hermanos que, haciendo caso omiso a la consabida prohibición, inundan de chillidos la madrugada.

Frente a mí, en la otra casa, se abre una ventana. Observo atentamente los rostros que se asoman: la vieja del baúl y una joven desconocida. Miran con temor e interés hacia nuestra vivienda.

—¡Solavaya! —escucho decir a la vieja, que se persigna tres veces seguidas—. Ahí están otra vez los espíritus alborotaos.

—Voy a avisarle a la policía.

—¿Sí? ¿Y qué piensas decirles? —la regaña la vieja, que ahora finge la voz de la joven—: «Oigan, en la casa de al lado hubo una matazón de gente hace una pila de años y ahora los muertos andan chillando a toda hora». ¿Eso es lo que vas a decir? Pues te aconsejo que los dejes con su alharaca. De todos modos, eso es lo único que pueden hacer los muertos cuando ya están despachaos.

Ambas mujeres vuelven a persignarse. Las persianas se entornan tras ellas, y yo me quedo de una pieza, completamente confundido por lo que acabo de oír. ¿De qué están hablando? Ninguno de nosotros ha muerto... excepto Junior, a quien dejé caer por accidente, por culpa de un lamentable olvido. Y si uno puede morir, es que no está muerto. ¿O pueden los muertos volver a morir?

Intento ver qué ocurre tras las cortinas, pero no puedo permanecer aquí. La luz del sol comienza a anunciarse como una claridad vaga sobre los tejados de la ciudad. Debo regresar a mi refugio. Dormiré todo el día hasta que llegue la noche y, cuando empiecen a salir las estrellas, desplegaré mis alas membranosas y vendré volando hasta mi lugar de siempre.

Teje, araña, teje

Una vez tuve un personaje al que, más que nada, le gustaba dibujar. Era un vicio, una psicopatía; y no hacía nada por evitarlo. Pero no dibujaba cualquier cosa. Su pasión eran las arañas: arañas pálidas y arañas negras, arañas cojas y arañas tuertas, arañas viudas y arañas vírgenes, arañas moribundas y arañas vivas...

Apenas nos pusimos en contacto, me propuse curarle de aquella compulsión monstruosamente idiota, y comencé a escribir para él.

Mi primer intento fue un cuento de amor, casi erótico, donde un joven muy bien parecido era seducido por una adolescente que era casi una niña. La doncella lo invitaba a bañarse en una playa solitaria y luego se lo llevaba para su casa, aprovechando la ausencia de sus padres. Ella extendía un mantel de hilo sobre el jardín salpicado de flores —todo era muy bucólico—, y lo adornaba con cestos llenos de frutas. Desnuda ella y desnudo él, comían y se embarraban con todos los zumos y aromas inimaginables... Aquí venía la mejor parte, pero nunca llegué a desarrollarla porque en el mismo instante en que iba a describir el brillo húmedo e invitador en la mirada de la casi-niña, mi personaje comenzó a pintar arañitas golosas sobre las servilletas de encaje, lo cual provocó la consiguiente indignación de la jovencita y su comprensible retiro de la escena.

Más tarde, traté de convencerlo con algo más épico: la historia de una tribu amazónica predestinada a desaparecer, debido a ciertos experimentos de esterilización a que estaban siendo sometidas sus mujeres. Mi personaje debía interpretar al hijo del jefe de la tribu quien, luego de aprender el idioma de los blancos gracias a otro personaje cuya biografía no viene ahora al caso, se enteraba de la terrible confabulación —como en las telenovelas— por puro azar del destino. Sin embargo, en lugar de ponerse a espiar tras los arbustos y las tiendas de campaña, como era su deber, mi personaje se dedicó a pintar ejércitos de arañas guerreras que llevaban enormes tatuajes en las patas.

También fueron inútiles mis esfuerzos por lograr que asumiera diversos papeles —creados especialmente para él— en un cuento de hadas, en una intriga policíaca, en un relato sadomasoquista y en una fantasía heroica. El muy malagradecido siguió dibujando según sus morbosos impulsos; y así fueron apareciendo, en los mejores momentos de cada historia, arañas aladas que cantaban a coro sus coplas mágicas, arañas con gafas y amplios gabanes grises, arañas que tejían inmensas telas donde sus incautas víctimas eran sometidas a sesiones de tortura, arañas doradas de largas extremidades que marchaban por caminos de pétalos quebradizos... Uno tras otro, mis cuentos se iban poblando con generaciones enteras de arañas.

Por supuesto, los personajes femeninos escapaban de inmediato, dando grandes alaridos, tan pronto como aparecía la sombra de una araña. Y los masculinos no tardaban en seguirlas, en medio de las reacciones más diversas: hubo desde un príncipe fóbico que escapó chillando hasta un torturador indignado por la poca seriedad del ambiente.

Al final de la última historia, solo quedó mi personaje que se entretenía lanzando al aire, con sus finos dedos de mago, brillantes telarañas que enredaban sus madejas en la brisa y descendían nuevamente a tierra para envolver su cuerpo como un capullo. Parecía una oruga. O más bien, uno de esos insectos que, tras caer en las fatídicas redes, se ve sometido a un raro proceso de metamorfosis antes de ser devorado por la araña...

Así lo dejé: sin más cuento ni más trama.

¿Habrase visto?

Elogio de la locura

... No tienen temor a los fantasmas
ni a los duendes...
Erasmo de Rotterdam.

... for who can escape what he desires?
Grupo Génesis.

Erasmo se arrebujó en su abrigo. Las luces de neón brillaban sobre el asfalto espejeante de las calles. Después de tantos años, ella lo había abandonado. «Lo siento mucho. Aún te quiero, pero necesito rehacer mi vida». O algo así le escribió.

Halló la casa desierta. Solo quedaban los muebles y sus propias pertenencias. Por lo demás, estaba vacía. De ella, de su olor, de su música. Ya no lo atormentaría más aquel desorden de libros y cigarrillos por doquier. Ya no encontraría manchas de *rouge* en su almohada al despertarse.

Erasmo no ignoraba que ella lo había dejado por otro, pero no sabía qué hacer. Tal vez rogarle, aunque sin llegar a la humillación; amenazarla, sin recurrir a la violencia; o quitársela de algún modo a quien se la había robado... Trató de imaginar a su rival: probablemente mirada oscura, torso inmenso como el de una bestia, y brazos hinchados de nervios y músculos, preparados para someter a su víctima.

Sacudió la cabeza para borrar las visiones. Miró en torno, como si quisiera aprehender el mundo gélido y alucinante que lo rodeaba; un universo de letras parpadeantes, bajo las cuales se movían sombras similares a espectros. Ni un alma a quien pedir ayuda: ese no podía ser su mundo.

Sintió frío.

El bosque era cada vez más húmedo porque el invierno se acercaba. Una capa de lodo suave y esponjoso cubría el suelo. Eso le permitió distinguir las huellas. Se removió inquieto sobre su corcel. La armadura se le clavaba en los codos, en el empeine del vientre, en los muslos, y estaba helada a causa del temprano granizo. Allá lejos, un rugido atronante estremeció el valle. Su caballo bufó de miedo, pero el brazo firme del hombre lo obligó a continuar. El sonido del agua y del hielo que caían sobre el casco se reproducía en ecos dentro de su vestimenta metálica. Ahora se mantenía sereno, y recordaba aquellas primeras ocasiones en que el ruido estuvo a punto de hacerlo enloquecer.

«Enloquecer». Repitió mentalmente la palabra mientras vigilaba su cabalgadura que, a cada instante, resbalaba sobre los guijarros mojados. Sí, la locura sería un dulce camino para el olvido: no más tristezas, no más dolores. Apenas otro estado mental: *un agradable extravío que libera al espíritu de sus preocupaciones y pesares, y lo sumerge en un baño de delicias.*

Tiró de las riendas, intentando recordar el origen de semejante frase. Tal vez en algún pergamino antiguo... Aflojó las correas, y el caballo continuó su viaje. Todavía faltaban algunas horas para que anocheciera.

Erasmo apresuró el paso y entró en una cafetería que solo cobijaba a una pareja de enamorados. Pidió café, y contempló su rostro en el enorme espejo. Quizás estaba perdiendo la razón. Sus facciones se le antojaron extrañamente remotas: eran los rasgos de un desconocido. Por otra parte, ¿qué hacía él vagando de madrugada por aquellos barrios inciertos? Se asustó un poco cuando comprobó que no guardaba memoria de su llegada hasta allí.

«Bueno», pensó, «todavía estoy a salvo. *Se puede ser todo lo loco que se quiera con tal de tener la virtud de reconocerlo»*. Y enseguida se asustó más, porque de algún modo supo que la frase le pertenecía, y al mismo tiempo, no era suya.

Tomó su café y clavó los ojos en la mirada neblinosa que lo observaba desde el cristal. Era él; y no era. Sospechó que esto último era mucho más cierto que su propio rostro reflejado en el azogue. Tuvo una insólita sensación de infinitud, como si su mente se dividiera en mil seres diferentes, como si todos esos fragmentos constituyeran el recuerdo de vidas pasadas o paralelas. Vio cavernas oscuras, donde se percibía la constante amenaza de las fieras; callejuelas medievales, repletas de monjes y mendigos... Y cada una de estas imágenes parecía nutrirse de su propia confusión, pugnando por desplazar a las otras para convertirse ella misma en la única realidad posible.

«No», se dijo. «No me estoy volviendo loco. Es solo que *el espíritu humano está organizado de tal manera que le es más grata la ficción que la verdad*».

Se detuvo. La frase anterior tampoco era suya, ¿o sí? Pudo haberla leído en alguna parte, ¿o no? Apuró los restos del café ya frío. Se puso de pie y contempló de nuevo la figura que repetía cada gesto suyo, al otro lado del cristal.

La imagen del espejo se diluyó.

Los gritos lo sacaron de su ensimismamiento. Apagó el fuego y salió de la cueva. No era la primera vez que tomaba un atajo. Tras muchos años de vagar por los bosques, su instinto se había desarrollado como el de las aves migratorias y era capaz de guiarlo sin dificultad a través de parajes ignotos. Ahora enfrentaría al raptor en su guarida, pero no sería fácil.

Aunque la idea de vivir sin ella se le antojaba casi imposible, no le quedaría otro remedio que continuar su existencia. En aquella época racional y equilibrada, libre de la barbarie del pasado, la vida transcurría con mayor sosiego. «*La locura consiste en dejarse llevar por el torbellino de las pasiones*», reflexionó. Y él, por supuesto, no se dejaría arrastrar por ellas. De algún modo, tendría que sobreponerse. Ya habían pasado los tiempos en que la gente moría de amor.

Sin embargo, mientras apartaba las ramas que goteaban heladamente, no pudo menos que rememorar su primer encuentro en el pasillo del colegio donde ambos estudiaron. Fue su primer y único amor: un sentimiento algo extraño para su época, pero Erasmo nunca se había sentido muy a gusto en ella.

Sus pasos resonaron sobre el asfalto. «*Cuanto más profundo es el amor, más intenso y vehemente es el delirio que produce*», se dijo. Y volvió a estremecerse de angustia, porque tales pensamientos continuaban surgiendo sin que su voluntad interviniera para nada. En algún rincón de su memoria, se sacudía el polvo acumulado durante siglos. ¿Cuándo había dicho algo semejante? ¿Quizás en otra vida?

Tuvo la certeza de que había dos Erasmos: uno furioso y aturdido ante la pérdida de un amor, y otro oscuro y distante que dictaba extrañas razones filosóficas. ¿Podía el amor destruir la cordura?

Se detuvo a la entrada de un cine y encendió un cigarrillo. El bufido de la bestia lo hizo soltar el fósforo, que se apagó antes de tocar la hierba. Apenas sacó la espada, los matorrales se agitaron para dar paso a una mole escamosa que incineraba los alrededores con su aliento de fuego. Lleno de terror, vio el cuerpo que el monstruo llevaba entre sus garras: la cabellera abundante, los brazos torneados, la finura del cuello...

La fiera abandonó su presa al pie de una encina, echó humo por las fosas nasales y abrió las alas en actitud amenazante. Sus pupilas parecían carbones enrojecidos. Erasmo tosió convulsamente mientras el aliento quemante de la bestia pugnaba por abrasarle los pulmones. Sin dudarlo arremetió espada en mano, cubriéndose a medias con el escudo cuyos atributos de plata pronto desaparecieron, ahumados por las lengüetas de fuego. El dragón sacudía sus alas, y los árboles se agitaban como barridos por una tempestad. A pesar de su fiereza, el animal no poseía tanta habilidad como su adversario, quien aprovechó un breve gesto suyo para deslizarse bajo su vientre y cortarle un ala. La criatura se volvió para embestirlo. Erasmo tensó los músculos. Sus escarpes de metal tropezaron con un juguete de plástico que algún niño dejara abandonado en el parque.

Levantó el objeto para examinarlo: era un vagón de tren con una pequeña chimenea azul. Dirigió la vista hacia los columpios vacíos, como si esperara encontrar allí a su dueño, meciéndose a esa hora de la madrugada en medio de tanta soledad. Luego, mientras lo pateaba a través del césped, recordó escenas casi olvidadas: sus primeras salidas, los besos, la primera noche de amor... No podía comprender lo sucedido.

El juguete rebotó sobre un ala chamuscada que descansaba junto a un latón de basura, antes de escurrirse por una alcantarilla. Entonces Erasmo tomó una decisión. Con la espada desnuda, arremetió contra la fiera en un intento por llegar junto a su dama. Esquivó una mordida de las fauces que destilaban azufre y echó a correr en dirección a la avenida. Una moto le salpicó la camisa con la sangre verde de la alimaña. El granizo volvió a mojar su abrigo, pero él no se detuvo. El monstruo aleteó sobre su cabeza y le cortó el paso. Erasmo se estremeció ante la crueldad hipnótica de aquella mirada que se aproximaba rápidamente. Alzó el escudo para cubrirse y una luz lo enceguеció. Sintió el ruido de la armadura al chocar contra la defensa del automóvil, y su espada cayó sobre el asfalto. Aprovechando esa ventaja, el dragón le clavó sus garras.

El hombre se dobló como una hoja seca devorada por las llamas. La lluvia arreció, pero nadie vino a socorrerlo. El dolor era tan agudo que comenzó a anestesiar sus sentidos. No percibía otra cosa que no fuera aquel tormento hirviente en sus entrañas. Lo invadió una sensación de somnolencia, como si la vida lo abandonara definitivamente, pero se negó a dejarse vencer. De algún modo, tendría que sobreponerse. Ya habían pasado los tiempos en que la gente moría de amor.

El duende

Cada persona tiene su propio duende, pero son pocas las que llegan a conocerlo. Una noche de luna llena me asomé a la ventana de mi cuarto. Allí estaba el mío, sentado al borde de la azotea vecina, balanceándose levemente sobre la veleta. Al principio pensé que se trataba de algún pájaro nocturno, hasta que vi su mano agitándose en inconfundible saludo. De un salto cayó justo frente a mi nariz. Entonces comenzó a bailar una danza diabólica, con la cual seguramente me embrujó.

—·—

Mi duende es azul y plata. Tiene ojos de gato y rostro de sílfide. Posee todas las virtudes y casi todos los defectos. Puede ser vengativo y cruel si lo acosan inútilmente; pero también dadivoso y amable cuando se siente respetado. Es una criatura solitaria. Ama la paz y el silencio, los aromas exóticos y la música antigua. Su mayor placer consiste en leer volúmenes de historia o magia, envuelto en nubes de incienso. Afirma que en una vida anterior ofició los cultos a Osiris.

—·—

Un duende es la suma de las facultades más refinadas y esotéricas de una persona. El duende es la esencia de esa persona, sin que eso signifique que sea un duplicado de la misma.

—•—

La naturaleza de los duendes es misteriosa. El mío, por ejemplo, suele tener reacciones imprevisibles. Un día le regalé una violeta —una de sus flores predilectas—. La miró durante algunos segundos y luego la arrojó al suelo con furia. Otro día le ofrecí su dulce favorito, mientras veíamos la televisión, y se echó a llorar sin consuelo. A veces lo he sorprendido frente al espejo probándose mis joyas: los anillos de oro que lleva cual brazaletes, y mis aretes de plumas que usa como sombreros. Después se desnuda completamente, grita como un salvaje, abre el pote donde guardo el algodón y fabrica unas bolitas diminutas con las que hace malabares antes de lanzarlas al jardín. Al preguntarle, me ha asegurado que su comportamiento es muy normal y que cualquier duende en sus cabales actuaría como él.

—•—

Hace meses tuve una pesadilla.

Yo no era yo, sino mi duende. Me sentía tan ligera como una liebre e iba de arbusto en arbusto, huyendo de algo inquietante. Mi intuición me aconsejaba que no lo hiciera. En todo caso, debía enfrentar lo que fuese para no prolongar esa fuga que, de lo contrario, se extendería hasta lo infinito. Por fin llegué a un sitio en penumbras. Lianas tan gruesas como serpientes pitón colgaban de las copas milenarias. Ni un rayo de sol lograba atravesar el colchón vegetal que formaba un techo en las alturas. Sin embargo, a pesar de tanta oscuridad pude percibir algo blanquecino que se alzaba como una estatua en medio de la maleza. Me acerqué con cautela y aquello se movió. Era mi propia alma, de quien —ahora lo comprendía— había estado huyendo todo el tiempo. Ahora surgía ante mí, gigantesca como un espectro de las colinas. Darme cuenta de que «aquello» era yo misma no me hizo sentir más segura. Todo lo contrario. Intenté seguir corriendo, pero mis pies no me obedecieron.

Desperté.

Sobre mi almohada, bañado por la luz de la luna, mi duende dormía apaciblemente. De pronto se incorporó, y se me quedó mirando con una mezcla de sueño y sorpresa.

—¿Sabes? —me dijo con voz pastosa—. He tenido una pesadilla. Soñé que yo no era yo, sino tú misma. Te perseguía con desespero por un bosque tenebroso, pero siempre huías de mí, es decir, de ti misma, con la agilidad de una liebre.

—•—

—Señor mío —le dijo un psiquiatra a mi duende—, después de revisar los resultados de sus *tests* mentales, hemos llegado a una conclusión: usted tiene una personalidad esquizoide.

—¿Esquizoide? —repitió él.

—Así es.

—¿Y qué quiere decir eso? —preguntó mi duende.

—Su ego se ha dividido en fragmentos, cada uno de los cuales trata de prevalecer sobre los otros. En otras palabras, dentro de usted coexisten varios duendes a la vez. Por ejemplo, hemos logrado identificar al duende-brujo, que conoce de memoria los grimorios y las fórmulas de hechicería, y posee habilidades adicionales para la lectura del aura. También lleva usted el duende-poeta, que gusta descansar en la entrada de los bosques donde hay hadas. Y está el duende-sibarita, que hace de cada bocado un banquete festivo, y adorna los platos y bebidas con las combinaciones más diversas: el asado con vino dulce, las tortas con almíbar de flores, los hongos con hierbas exóticas. Existen otros perfiles menos definidos: el duende-danzante, el duende-vicioso, el duende-alocado...

—Es cierto —admitió mi duende—. Y eso que le falta por conocer al más importante.

—¿Cuál es?

—El duende-falsificador-de-tests.

—•—

Cuando mi duende está a punto de caer en trance, corre a refugiarse en un dedal. Llena el brasero con mirra para alejar a los demonios; enciende velas con perfume a rosas, con el fin de aumentar sus visiones; le pide a mi gato que toque el laúd; y cierra los ojos para meditar sobre la arrogancia humana que insiste en ignorar la fantasía.

—•—

Un duende nace apenas surge la esencia de lo que será un ser humano. El espíritu de esa persona se desarrolla a lo largo de muchas vidas; y en cada una de ellas estará esperándolo su duende, como un guía fiel que no lo abandonará nunca, a menos que esa persona decida cometer un suicidio del alma.

—•—

Dice mi duende que, cuando me vio por primera vez, yo vestía una túnica transparente, llevaba los brazos cubiertos con pulseras doradas, y ceñía mis sienes con una serpiente de oro que irradiaba luz sobre mis cabellos. Avanzaba por un túnel agitando un sistro, cuyo tintineo se multiplicaba en ecos mientras mi voz cantaba con aire lejano: «Bendita diosa Isis, madre celestial, ayúdame a encontrar los fragmentos dispersos de mi inmortalidad».

Fue entonces cuando mi duende decidió oficiar los cultos a Osiris.

—•—

El peligro de encontrarse cara a cara con su propio duende radica en la lucidez mental con que uno empieza a conocerse.

—•—

Mi duende puede saber cómo son las personas, nada más con verlas.

—Esa tiene un aura inteligente y radiante. Aquel es peligrosamente carmesí. Y este otro resplandece en un intuitivo nácar —suele decir.

Le pregunté cómo podía conocer tales cosas.

—Es fácil —respondió—. Existen dos visiones: la exterior y la interior. La primera se produce en la zona que ustedes llaman conciencia, mientras que la segunda se dirige hacia el centro del espíritu: es la visión que permite ver los fantasmas y el aura de los seres vivos. Para conseguir una buena visión exterior, debes observar atentamente el objeto o la criatura, y estudiarlo desde cada ángulo posible. Por el contrario, para una buena visión interior necesitas echar solo una breve ojeada, es decir, debes mirar como si no quisieras ver. Y cuando lo hagas, siempre deja tu espíritu en suspenso y bajo ningún concepto le permitas emitir juicio alguno. Si le dejas juzgar, jamás conseguirás una visión clara.

—.—

Cierta tarde de verano, conversábamos mi duende y yo.

—Hace poco viajé a la luna, y no me gustó para nada —se quejó—. No encontré una sola criatura que apreciara mis bromas.

—Por supuesto —le dije—, si allí no viven seres humanos...

—Y ojalá nunca lleguen a hacerlo —prosiguió él—. Esos duendes selenitas son todos unos lunáticos.

—.—

Le rogué a mi duende que me mostrara su mundo.

—Tal vez más adelante —contestó—. Primero tendrás que aprender algunas cosas.

—¿Como cuáles?

—Hechizos, grimorios, fórmulas adivinatorias... Todo cuanto aprendiste una vez y ya has olvidado. Voy a enseñarte a recuperar tu intuición. Tu memoria hará el resto.

Comencé a estudiar, siguiendo sus consejos, y creo que lo he estado haciendo bien porque se muestra satisfecho.

—Te estás acercando —me dijo hace poco—. Incluso tu aspecto físico ha comenzado a variar. Cada día te pareces más a Ella.

—¿A quién?

Mi duende se puso súbitamente serio:

—Ya lo descubrirás.
—Por favor —supliqué.
Pero mi duende se negó a contestar.

—•—

Cuenta mi duende que aquel hombre vivía rodeado de espíritus llameantes. Esos espíritus eran almitas elementales, llamadas salamandras, que rondaban su cabeza mientras él iba sacando a la luz —desde ese mundo en sombras donde se sumergía— criaturas de vocación perennemente fatídica. Una noche de tormenta, el duende del hombre abrió la ventana para dejar pasar un ente desconocido que intentaba refugiarse de la lluvia. Era una musa diabólica que enseguida desató una bacanal de vibraciones malignas y comenzó a graznar por toda la habitación sin que el hombre lo percibiera. Las propias salamandras, llenas de espanto, se dispersaron por el lugar en busca de refugio; y hasta un cuervo que dormitaba en su jaula, semioculto en un rincón de la habitación, chilló despavorido. Entonces el hombre, que en realidad era un Poeta, comenzó a escribir febrilmente, presa de un súbito e incomprensible impulso.
Exhausto y afligido, el duende del bardo se quejaba:
—Nunca más dejaré pasar a una sombra sin referencias. Nunca más... Nunca más... Nunca más...

—•—

Siempre quise conocer si mi duende era macho o hembra.
—Esta noche te diré la verdad —me dijo en una ocasión—. En realidad, no soy lo que parezco. Mis pupilas de gato esconden un alma que deambula con sigilo por una

llanura sin sol. Hace años emprendí el vuelo para robar unos granos, pues mis crías piaban hambrientas en el fondo de un corral. Esta mañana el rocío empapó mis raíces y dobló cada pétalo de mis flores. Mañana quizás me convierta en una criatura extraña y ajena a este mundo, en alguien sin pies ni cabeza: el vaho de un río contaminado, la sombra de un engendro nocturno... Tampoco tengo nombre. Únicamente el tiempo podrá determinarlo. Solo entonces sabré si seré fuego, campana o humo; si me llamarán espejo, fósil o tibieza.

Y dicho esto, desapareció en mi vaso de leche.

Creo que no tiene sexo.

O quizás lleva los dos a la vez.

—·—

Proverbio antiguo: «Más vale duende en mano que cien musas volando».

—·—

—Basta ya de sentido común —chilló mi duende una noche—. Estoy harto de ver cómo te has dejado arrastrar por cada idea estúpida que intentaron meterte en la cabeza. Ni naciste hace poco, ni eres quien piensas. ¿Por qué crees que te obsesionan las ruinas? ¿De dónde imaginas que salió tu fascinación por Stonehenge y por cualquier montón de piedras que parezcan viejas? ¿Por qué siempre escuchabas, hasta el punto de hacerme enloquecer, esa *Fantasía sobre un tema de Tallis*, incluso antes de saber que esa pieza era la mejor evocación musical del genio celta? ¿Qué crees que anduve haciendo allá por el año 800 en Irlanda? ¿Paseando por el mero gusto de hacerlo, o corriendo detrás de una jovencita que quería aprender los hechizos de la música druida, y por eso perseguía al bardo Taliesin? ¿De veras pensaste que tu nombre se parece al de la madre de los dioses irlandeses por capricho de tus padres? Recuerda esto: cuando muchas casualidades coinciden, el azar deja de serlo y se convierte en destino. Eso no lo inventé yo: me lo enseñaste tú hace siglos.

—•—

Le pregunté a mi duende cómo se las arreglaba para viajar con tanta rapidez.

—Es que me gustaría aprender a hacerlo —le confesé.

—Hay muchas maneras —respondió—. A veces vuelo, aunque eso lo hago cuando no tengo prisa. También puedo atravesar los espejos y llegar en un santiamén al antimundo. O me sumerjo en el fondo de algún depósito líquido —ya sea una taza, un vaso o un estanque— y utilizo los pasadizos acuáticos para emerger en cualquier lago o mar del planeta. O pronuncio conjuros para abrir una entrada invisible que me llevará por laberintos secretos. O utilizo la Guía del Viajero Astral, y me muevo por los universos ubicuos que descubrieron los antiguos Maestros. O...

En este punto del relato, decidí que lo mejor era preparar el té y olvidarme del asunto.

—•—

Curar la paranoia de un duende es tan difícil como sacar una espina de la boca de un dragón. Por eso es mejor evitarles el estrés y las presiones sociales que, como ya se sabe, son las principales causas del desequilibrio duenderil. Yo siempre les digo a mis amigos:

—Cuiden mucho a sus duendes. La paranoia es contagiosa.

—·—

Mi duende dice:

—Quien no ame a los gatos, jamás podrá convertirse en hechicero. No hay nada más parecido a la magia que el comportamiento de un felino; y solo quien es capaz de adorarlos como se adora a un dios pequeño, solo quien tiene el privilegio de entenderlos y comunicarse con ellos, puede incorporar a su naturaleza los instintos y reflejos necesarios para manejar ciertas fuerzas. Recuerda que la magia no requiere de violencia, sino de sentimientos refinados. La magia jamás trabaja con ruidos, sino en medio del silencio. La magia no funciona entre aglomeraciones, sino en la soledad de las sombras. La magia es dominio y armonía, intuición y audacia. Y es, sobre todo, apego a la libertad.

—·—

—*To dream or not to dream: that is the question* —recitó mi duende, alzando la calavera.

—·—

Una vez fui con mi duende al cine. Le encantan las películas donde hay muchos hechizos; así es que lo llevé a ver una. Sin embargo, en medio de la función se puso de pie y comenzó a agitar los brazos de un modo extraño, como si bailara. Trazaba en el aire signos cabalísticos y temí que intentase embrujar a toda la concurrencia, embriagado por la trama; pero no fue así.

De pronto, los unicornios saltaron de la pantalla y trotaron sobre las cabezas del público que aplaudió entusiasmado. Los elfos bajaron de los árboles y corrieron dando alaridos entre los pies de los niños, que trataban de atraparlos inútilmente. Y las hadas rozaron con sus velos los rostros fascinados de los adolescentes, antes de escapar al mundo exterior.

Finalmente, la pantalla quedó vacía. Las luces se encendieron y todos se marcharon en silencio, llevando cada uno sobre sus hombros un pequeño duende que les murmuraba sortilegios en los oídos.

—·—

—Casi nadie conoce a su duende —le dije al mío—. ¿Por qué permitiste que yo te viera?

Y él me contestó:

—Hace mucho tiempo, tu espíritu abandonó su cuerpo mientras dormías y llegó a la cueva que compartíamos mi musa violeta, un dragón sin garras y yo. Tu sombra iluminada atravesó las paredes y me rogó: «Estoy perdida. Necesito luz...» La musa sufrió un desmayo y el dragón se echó a llorar. No nos quedó otro remedio que mudarnos contigo y llevarte nuestras noches de otoño, ciertos ungüentos para brujas, un recetario de olores tropicales, diez mil recuerdos embotellados, una mujer-serpiente que rezuma filtros eróticos, decenas de megalitos viejos y varias almas perdidas que recogimos en un bosque irlandés. Ninguno de nosotros se ha arrepentido. Dondequiera que vas, nos llevas siempre contigo.

Había una vez...

Había una vez un cuento que comenzaba al borde de un acantilado. En el cuento no existía nada parecido al silbido del viento, ni la visión imponente de las olas chocando contra los arrecifes. Era solo un tímido relato que nacía junto a ese farallón, apenas iluminado por un sol mortecino que bajaba hacia el horizonte.

El escritor contempló la escena y se dio cuenta de algo que no había descubierto antes: una figura envuelta en ropas oscuras oteaba la lejanía. Al principio no supo si se trataba de un hombre o de una mujer. Después de pensarlo, comprendió que cualquiera de esas posibilidades resultaría igualmente aprovechable.

La figura se movió un poco, como disponiéndose a abandonar el lugar, y el escritor siguió sus movimientos. Entonces supo quién era. Una mujer muy delgada. Viejísima. Llena de arrugas como la faz del mundo. Y de gestos suaves, con un toque de sombría majestad.

Ahora sí el viento apareció en el relato y azotó las ropas de la anciana.

El escritor suspiró, mitad inquieto y mitad disgustado. Sospechó que su historia tendría un sabor semejante a otras ya inventadas; pero no podía ni deseaba evitarlo. Le gustaban las fábulas misteriosas que se iniciaban cerca de algún precipicio, en lo más profundo de un bosque, o en medio de páramos silenciosos.

Imaginó cómo continuaría todo. Llena de pesadumbre, la anciana caminaría un buen trecho, atravesando puentes de madera y vadeando arroyos de agua helada provenientes de picos lejanos, no sin que antes pudiera descubrir la presencia de mil signos funestos que su sabiduría adivinaba en las rocas, en el vuelo de las aves y en los estanques. Intentaría neutralizar tales presagios por todos los medios a su alcance: maldiciones, ademanes siniestros, frases mágicas, polvos esparcidos sobre la hierba... Más tarde llegaría a una cabaña, en el fondo de un valle, para aguardar la llegada del hijo.

El escritor se detuvo. No tenía la menor idea del lugar adonde habría ido el muchacho, ni el tiempo de ausencia, ni las razones de su partida. Además, comprendió que aquella anciana no era una persona común. Cierto halo luminoso parecía rodear su figura y, si se fijaba bien, los bordes de la aureola se difuminaban en un fulgor de plata que despedía una bruma especial. Tal vez la anciana fuese un hada condenada al olvido y al ostracismo: una especie de criatura atada a la inmortalidad por haber traicionado a los suyos.

De pronto, toda esa historia se le antojó lúgubre, casi deprimente.

Volvió a leer el principio del relato.

¿Y si el hada no fuera una anciana, sino una joven de belleza imposible? ¿Si sus ropas fuesen blanquísimos velos, desplegados a la brisa, entre sus enormes alas de libélula? Por un minuto la vio así: largos cabellos azules, cuerpo flotante y ojos refulgentes, en medio de la llovizna —aquí sí era imprescindible una lluvia fina— que caía sobre el acantilado.

Pero ¿a quién podría esperar semejante criatura? Con toda seguridad, no a un hijo. Tendría que ser a un amante: algún caballero que le hubiese prometido regresar después de una misión.

De cualquier forma, ella se comportaba de un modo curioso. Primero se desplazó en dirección a las nubes, como si buscara un punto de observación mucho más cómodo. Durante un rato las corrientes de aire la mecieron azarosamente, jugando a capricho con sus ropas, antes de que decidiera regresar a tierra. Enseguida agitó las manos y una música antigua surgió de la nada. El sonido se extendió más allá de las crestas espumosas mientras ella manipulaba la brisa con sus dedos, hilvanando un tejido de brumas hasta lograr un encaje armonioso y extravagante. Poco a poco, todo cuanto la rodeaba pareció cambiar su naturaleza: el viento se volvió niebla; las nubes, ramalazos de aroma; el suelo, estalagmitas verdes. El hada sonrió. Estaba a punto de lograrlo. Satisfecha, se dijo que un mago jamás lo habría hecho de aquel modo. Claro, estaban condicionados. Los criaban de otra manera y por eso actuaban diferente. Allí donde un mago empleaba la potencia mental, el hada prefería el arte de urdir sonatinas vaporosas...

En ese punto, el escritor decidió volver atrás. No le gustaba el modo en que aquella criatura empezaba a complicar las cosas, pensando y actuando como si él no estuviera presente. O peor aún, obligándolo a tantear insólitos recovecos mentales. Sería mejor obviar los personajes femeninos. Con ellos, uno siempre corría el riesgo de meterse en terrenos movedizos que escapaban al raciocinio.

La figura misteriosa sería un hombre; alguien que llegó hasta aquellos parajes, luego de abandonar su automóvil junto al camino. Parecía abatido, casi desdichado. Después de la última discusión, su vida era un infierno. Ella le había exigido más ternura, más sensibilidad. No era posible seguir viviendo como animales, sin preguntarse por qué las cosas debían ser como eran, sin que fuera posible hacer algo por cambiarlas...

No, no, no. Mejor sacaba a la mujer o volvería a enredarse en algún problema sin solución práctica.

El hombre tenía mucho dinero, pero sus deudas sobrepasaban su cuenta bancaria. En los últimos meses había derrochado grandes cantidades en inútiles bacanales que, al final, lo hicieron sentirse más vacío. Necesitaba algo que cambiara su vida; una empresa nueva, un objetivo distinto...

El escritor quedó pensativo. Aquella historia era la peor de todas. Absolutamente vacía y sin una gota de encanto. A punto de desesperarse, comprendió que aquella silueta era mucho más pequeña de lo que imaginara al principio. Por supuesto, era un niño. Y con el rostro húmedo de lágrimas. Desechó esta última imagen de inmediato porque no soportaba los melodramas. Se concentró en la escena. La mirada del niño poseía un aura de fascinación absoluta: algo saldría de aquel mar agitado, algo que él había esperado toda su vida.

El escritor se preguntó qué podría aguardar un niño, con aquel semblante ansioso, parado frente al mar. Pensó en monstruos de ojos vidriosos, en ciudades fantasmales, en antiguos ingenios que surcaban los abismos y luego sobrevolaban el planeta... Nada. Para él existían pocas cosas tan impenetrables como la mente infantil. No tenía la menor idea de lo que un niño esperaría ver salir de allí.

Volvió de nuevo al comienzo del relato, donde se alzaba el acantilado a la opaca luz del crepúsculo. Ni viento silbante, ni olas chocando contra los farallones. Solo aquella figura vestida con ropas oscuras, que contemplaba fijamente el horizonte. La silueta del desconocido dio unos pasos, miró en torno y se sentó sobre la hierba que cubría el lomo del picacho. Después sus dedos juguetearon un rato con los guijarros del suelo.

El escritor alzó la vista y oteó la lejanía. Entonces supo que el encanto de su relato estaba en mantener la incógnita de aquel personaje, que insistía en descubrir algo tan inabarcable y cercano como el mar. Así lo dejaría, con su aura de misterio y sumido en pensamientos que solo él podría entender.

El borde del sol ya rozaba las aguas, y la escasa luz apenas permitía leer los emborronados papeles. El escritor se puso de pie y caminó hasta el borde del acantilado. Durante un rato permaneció allí, mientras sus ropas oscuras aleteaban a sus espaldas y una llovizna helada caía sobre su cabeza.

Discurso sobre el alma

Para Tony y Sergio,
almas cómplices.

Voy a enumerar los mandamientos del alma:

1. El alma existe.

2. En su parte superior, el alma se asoma como un sol.

3. Quien no crea en la existencia del alma, estará incurriendo en delito de lesa espiritualidad.

4. Las puertas del alma no se cierran: prefieren permanecer alertas.

5. El corazón del alma es una pirámide, y en su interior hay una cámara secreta cuya entrada no ha sido descubierta.

6. El alma se esconde al doblar de cada esquina.

7. En el centro del alma están sus tres estaciones: música, otoño y silencio.

8. Escuché decir a una bruja: «Hijos míos, jamás pongan en venta su alma porque nunca se sabe, hasta que ya es demasiado tarde, si el presunto comprador es un ángel, un demonio o —lo que es peor— un enemigo».

9. El alma tiene más olfato que visión.

10. No hay nada más triste que un alma desalmada.

11. El alma se forma a partir de un río interno que fluye a través del Sistema Humano. De ahí salen sus afluentes, mayores y menores, que a su vez se subdividen en ratas y aves del paraíso... pero esto ya se está pareciendo a una clase de Zoología. Así es que mejor cambiamos de tema.

12. La bebida natural del alma es la noche.

13. Un alma en fuga también puede estar encarcelada.

14. Mi alma es mitad burguesa y mitad tercermundista: a menudo se debate entre el perfume francés y las telas orientales.

15. En el fondo de toda alma siempre hay un animal asustado.

16. El alma es un asunto realmente pornográfico: cualquier cosa puede entrar o salir de ella.

17. Hay almas que no tienen pies ni cabeza.

18. El alma tiene la siguiente composición química: un gran porcentaje de dolor, mucha credulidad, algo de dicha, y un montón de esperanza.

19. La región oscura del alma es la que menos suele verse, pero resulta la más perceptible cuando alguien la toca.

20. Hay almas grandes, medianas, pequeñas y muertas.

21. Cuidar del alma es como tragar mazapán: algo dulce y tibio que resbala hasta el fondo de nosotros, y allí permanece.

22. Donde dice: «Mi alma se muere de amor», debe decir: «Mi alma se muere de tu alma».

23. El alma se parece al vino: nunca madura, más bien se añeja.

24. Las epidemias que azotan el alma con mayor frecuencia son: el rencor, la envidia y el deseo de destrucción. Los antídotos más indicados: permanecer entre cuatro paredes, abrigarse con mucho silencio, y tomar el amor en dosis continuas.

25. No hay que adelantarse a los acontecimientos. Con tanto hablar del alma, la nota cursi no tardará en llegar.

26. Abrí un boquete en mi alma; entonces la fiera me arañó.

27. Por lo general, el ateo no se lleva bien con su alma. Pero hay excepciones.

28. El alma tiene cuatro ojos: el ojo derecho, el ojo izquierdo, el ojo miope y el ojo místico.

29. El pecho del alma late como un globo verde a punto de estallar.

30. El alma nunca está sola; siempre la acompaña su soledad.

31. Cada vez que empiezo a imaginar mi muerte, triste y solitaria como un páramo escocés, mi alma me da un par de bofetadas y me pone frente a mi escritorio para la terapia cotidiana.

32. También el alma tiene su alma.

33. Si un alma se rompe, es mejor dejarla tranquila. Es imposible predecir qué ocurrirá cuando algo tan vivo se vuelve a componer.

34. El alma no siente; se resiente.

35. «Nunca volveré a ladrar», maulló mi alma. «Jamás resuelvo nada con eso y, para colmo, ya empiezan a ponerme mala cara». Entonces se echó en su rincón a ronronear con aire satisfecho, mientras afilaba sus zarpas disimuladamente.

36. El alma no está capacitada para administrar justicia: le resulta imposible actuar con indiferencia.

37. Las almitas rosadas y convencionales son las más comunes; por eso todo anda tan mal.

38. Cuando el alma te sacude por los hombros en medio del sueño, llega la pesadilla.

39. Sortilegio para someter el alma: doblar con cuidado la región del dolor.

40. La verdad es la circuncisión del alma.

41. Cada vez que intento cambiar de profesión, mi alma se hace la loca y habla sobre el estado del tiempo.

42. Caprichos del alma: retozar en el frío y sacudirse los trozos de angustia que lleva siempre en los zapatos.

43. El alma ajena produce indigestión; por eso no debe masticarse jamás.

44. Las regiones del alma son las siguientes: los rincones helados, las goteras, los lirios que se mecen bajo las aspas de un molino, las inquisiciones y las protestas. Todas ellas son peligrosas, aunque por motivos muy distintos.

45. El espanto puede quemar los bordes del alma. Por desgracia, este proceso es irreversible.

46. El alma del animal es diferente de la humana: es menos animal.

47. La locomoción del alma no es tan sencilla como podría pensarse. A veces se atasca en los menores resquicios.

48. El alma no grita: susurra.

49. Si uno descubre una gran pradera, seguramente el alma andará cerca.

50. Razones para proteger mi alma: tiene mucho azul, se humedece por las noches y le gusta embarrarse de magia... Además, es mía.

Ciudad de oscuro rostro

Para Chely Lima y Alberto Serret,
esta historia que también les pertenece.

Cada ciudad tiene sus fantasmas.

Algunos habitan en casonas vetustas y abandonadas; son los espectros clásicos. Otros viven entre las ramas de ciertos árboles; estos son más antiguos. Y existen aquellos que conviven con nosotros en apartamentos llenos de luz y de cristales, en el último piso de un edificio moderno; que se cruzan con nuestro vecino a mitad de la escalera para desearle un sueño feliz. Y, sin embargo, descubrirlos en medio de la vida cotidiana puede convertirse en un suceso divertido o en una obsesión traumática, según nuestra noción de la realidad.

Muchas veces me he preguntado por qué esta última —siendo una sola— parece dividirse en dos: un mundo azul y mediodía, oscilando entre el canto de los pájaros y el ruido de los autos; y una dimensión oscura y tenebrosa, donde voces susurrantes y pupilas luminiscentes parecen ser sus mejores guardianes. Después de mucho pensar, me inclino a creer que, en efecto, la realidad es única e indivisible; por un lado, dadora de hechos que constantemente se generan en una suerte de parto temporal; pero, al mismo tiempo, renegada de sí, dejando continuamente atrás un presente que, en cuestión de segundos, ya es pasado; un pasado que sigue conectado con el futuro a través de cadenas eternas de acontecimientos. Y esta explicación es la que me ha permitido aceptar experiencias que, de otra manera, hubiesen terminado por enloquecerme.

En el instante de escribir estas líneas, ya casi termina el invierno. Y lo que voy a contar sucedió cierto año, a principios del verano.

Suelo ser una persona bastante solitaria y retraída en mi mundo, a pesar de la facilidad con que inicio una conversación en el más concurrido salón. Sin embargo, mi verdadera naturaleza rara vez se muestra en público; pienso que la imaginación de un escritor debe mantenerse protegida y a salvo de las miradas indiscretas. Los sueños son criaturas delicadas: si se exponen mucho, pueden enfermar y morir. Por eso resultan pocos los amigos que tienen acceso a este universo privado; y quienes han cometido la indiscreción de querer forzar sus puertas, solo han encontrado una cortés, pero fría, barrera de cristal.

Entre mis escasas amistades se encuentra un matrimonio con quienes me reunía casi todos los fines de semana. Desde los primeros tiempos, Lucía, Oscar y yo compartíamos ciertos temas de conversación, como la literatura, y una marcada simpatía personal.

La casa donde vivían entonces —muy diferente de la actual— era grande y estaba rodeada de enredaderas florecidas. Yo llegaba con las primeras sombras de la tarde, abría una verja que siempre alarmaba al perro, y luego atravesaba el jardín y un estrecho portal hasta la puerta. Casi siempre nos instalábamos en la mesa de la cocina, o en uno de los dormitorios, para discutir nuestros proyectos.

El lugar preferido era el cuarto al final del pasillo: una habitación donde se amontonaban la cama, el escaparate, dos mesitas de noche, lámparas, cuadros, libros, fotografías, un curioso espejo antiguo, muñecas, grabados, miniaturas de barro, jarrones coronados con velas semiderretidas... En resumen, el universo ideal para la creación.

Un día en que mi amiga preparaba el té, mientras Oscar tomaba un baño, ocurrió el primero de una larga serie de eventos inexplicables. Yo estaba en el dormitorio. A la derecha, pero en una posición donde me era imposible ver mi imagen, colgaba el espejo —un mueble triangular que había pertenecido a la familia de Oscar durante generaciones, y cuya fantástica historia conocería luego—. Con un libro entre las manos, me entretenía leyendo a Lundkvist:

> Yo soy un volcán y tú eres la noche oscura en la que arderé.
> Tú serás un mar fresco y profundo en torno a mis acantilados.
> Me traerás cosas extrañas y las depositarás a mis pies...

En ese instante, una silueta se reflejó en el espejo. Solo la vi de reojo porque, pensando que se trataba de Oscar, no miré en dirección al cristal, sino que me asomé al pasillo donde esperaba encontrarlo. Sorprendentemente, no había nadie. Entonces me volví hacia el espejo, un segundo antes de que la sombra desapareciera.

Con una absoluta sensación de desconcierto, permanecí sentada con el libro sobre las rodillas intentando reconstruir lo sucedido, hasta que acabé por dudar de mí misma y me convencí de que la culpable había sido mi imaginación. Sin embargo, ya no me hallaba a gusto en aquel sitio y me fui a la cocina buscando compañía humana. De más está decir que no hice ningún comentario al respecto.

La frecuencia de mis visitas no se alteró, pero desde aquel día la inquietud que me asaltaba junto al espejo se fue extendiendo al resto de la casa. La aprensión terminó por transformarse en miedo, aunque su avance era tan lento que al principio no logré percibirlo... Hasta que una noche, mientras conversábamos, sentí de pronto la llegada de un terror absoluto. Lo curioso fue que mi incomodidad provenía de un lugar bien definido: la zona situada entre el escaparate y la ventana, es decir, *el sitio desde el cual una persona de pie se hubiera podido ver reflejada en el espejo.* Pero allí no había nadie. Y yo no me atreví a mirar, ni siquiera de reojo; temí descubrir en el cristal lo que no existía en la habitación.

El sentimiento era totalmente irracional, pero tan apremiante que preferí hablar en un intento por anularlo.

—Si les digo algo, ¿prometen no reírse? —aventuré con mi aire más ecuánime.

—Bueno —la mirada de Lucía era tan despreocupada como la de su esposo.

—Tengo miedo.

—¿Miedo? —los ojos de Oscar adquirieron un brillo de alerta.

—Sí, pero no sé por qué —admití, y apenas lo hube dicho, supe la razón de mi temor—. Tengo la impresión de que aquí hay alguien más; alguien que no deja de mirarme.

Aquella impresión no era nueva. Desde hacía tiempo la casa me atemorizaba. O mejor dicho, ciertas partes de la casa me atemorizaban.

Recordé cómo empezó todo.

Finales de mayo. Yo había caminado bajo la llovizna persistente, aunque delicada, que golpeaba las hojas y los pétalos polvorientos. Las calles se anegaban de un fango negro, amasado con hollín, que el agua de las nubes no había logrado limpiar. Cuando llegué frente a la vivienda de mis amigos, la lluvia había cesado; el viento era húmedo y eléctrico bajo las nubes cargadas de estática. Abrí la verja del jardín —que rechinó como de costumbre— y en ese momento la náusea me aturdió: supe que la casa me odiaba. El choque fue tan violento que estuve unos segundos sin decidirme a entrar. Solo después de un esfuerzo logré reponerme lo suficiente para atravesar los amasijos de plantas.

Con el tiempo descubrí las diversas emociones que me asaltaban en cada lugar de la casa: el comedor y la sala eran sitios neutros donde no me sentía muy amenazada, pero tampoco especialmente protegida; la cocina resultó ser el territorio más seguro y despejado; por otra parte, jamás pude saber el efecto que hubiera podido transmitirme el primer cuarto porque nunca tuve la oportunidad de entrar en él, aunque al pasar frente a su puerta algo me decía que no mirara; en cambio, el pasillo y la habitación donde transcurrían las tertulias me enloquecían de aprensión... ¡Me daba pavor caminar por el maldito corredor!

Así percibí la fuerza de todos mis temores, encerrados y ocultos bajo la débil coraza de mi subconsciente.

Oscar manoseaba los papeles que aún tenía en sus manos, ahora temblorosas. Lucía dejó vagar la mirada por algunos cuadros y, finalmente, se volvió hacia él.

—Ya lo ha sentido.

Dijo aquello como si yo no estuviera allí; como si no fuera yo quien mereciera una explicación.

—¿He sentido qué?

Me observó con ojos impasibles, y agregó:

—Al vampiro.

Un soplo frío resbaló sobre mi nuca.

—¿Cuál vampiro?

—El que vive aquí.

Los rostros de ambos se encontraban lejos de cualquier expresión festiva; por el contrario, se habían vuelto súbitamente grises.

—Sabes lo que son los vampiros, ¿no? —preguntó Lucía como si dudara de mi cociente de inteligencia; o quizás pensó que no la había entendido.

A mi mente acudió la imagen fílmica de esos seres envueltos en capas, saliendo cada noche a chupar sangre, temerosos de enfrentar la luz del sol y retrocediendo ante los ajos y el signo de la cruz.

—¡Por favor, esto es serio! —exclamé—. No me vengas ahora con fantasías.

—¿Tu miedo no es real?

Era demasiado real y ellos lo sabían.

—¿Cómo pueden saber que se trata de un vampiro?

—Lo hemos visto —aseguró Oscar.

—Y Pepe también.

(Pepe era un amigo de ambos que vivía al sur de la Habana y a veces, por razones de trabajo, venía a la ciudad y se quedaba a dormir en el primer cuarto).

—No exageres —la contrarió él—. Pepe solo vio la sombra.

—Es igual; conoce su figura, su perfil...

—Y pensar que tuvo la oportunidad —se dolió Oscar—. Si hubiera tenido limpio el espejo...

Yo estaba atónita. Tan cotidiano parecía el asunto que pronto la conversación derivó hacia los malos hábitos de convivencia del tal Pepe. Y diez minutos después fue necesario ocuparse de la sopa, sacar los platos y cambiar de tema. Por supuesto, esa noche no volvió a mencionarse la cuestión.

Sin embargo, a mí me fue imposible olvidarla. Comencé a reflexionar sobre una serie de incidentes ocurridos a lo largo de mi vida que, por carecer de una explicación inmediata, habían sido relegados a un segundo plano. ¿Cuántas veces oí ruidos misteriosos en una habitación cercana que se encontraba vacía? ¿Por qué nunca investigué la causa de varios sucesos, como por ejemplo: la certeza de que alguien me observaba, aun sabiéndome sola? ¿Acaso no experimenté en más de una ocasión la advertencia de mi subconsciente, instándome a abandonar un lugar determinado; los latidos de un temor absurdo que me obligaban a tomar un rumbo distinto o a evitar ciertas zonas del suelo, que yo evadía como si fuesen pozos malignos?... Mil cosas más añadí a estas. La seguridad de haber rechazado numerosas aristas de una realidad próxima, aunque distinta de la habitual, aumentó mi ansiedad por retener cada una de aquellas vivencias.

Un sábado llegué a la casa. Mi ánimo era despejado y me sentía eufórica porque llevaba tres nuevos poemas. Lucía se encontraba de un humor parecido: había terminado su novela y quería leerla ante nosotros. Pero primero se fue a la cocina a preparar el té; Oscar salió al mercado, en busca de un frasco de aceitunas; y yo me quedé en la habitación, revisando el libro que acababan de regalarme.

Mi amiga se asomó al cuarto y me tendió un pan untado con mermelada. Lo mordí distraídamente, mientras ella regresaba a su hornilla. Hojeé el volumen —una antología de poesía africana— y leí algunos trozos al azar:

> Mi dios Thot es de piedras preciosas.
> La tierra se ilumina con su resplandor.
> De rojo jaspe es el disco de la luna en su frente.
> De cuarzo es su falo...

Era muy bello.

Mordí de nuevo el pan y busqué otro poema.

Mi toro es blanco como el pez de plata en el río,
Blanco como la trémula grulla en la orilla del río,
¡Blanco como la leche fresca!
Su bramido es como el trueno del cañón turco
en la escarpada orilla.
Mi toro es oscuro como la nube de lluvia en la tormenta...

La mermelada había ido resbalando del pan y terminó por caer sobre mi blusa. Traté de limpiar la mancha con un pedazo de papel, pero solo conseguí embarrarme más. Así es que fui al baño, cerré la puerta y me quité la prenda para lavarla. Todavía estaba frotando la salpicadura cuando vi pasar una sombra a través de los cristales. Supuse que Oscar había vuelto del mercado; me vestí y caminé hasta el fondo de la casa.

Nadie.

Estaba segura de que alguien había cruzado frente a la puerta, proveniente de la sala, y la única habitación después del baño era ese cuarto. Regresé junto a mi amiga.

—Lucía, ¿ya llegó Oscar?

En ese momento, oí que la puerta de la calle se abría.

Me dejé caer sobre un asiento.

—¿Qué te pasa? —preguntó él, apenas entró—. Tienes una cara...

Les conté lo sucedido.

—Debe ser... —comenzó a decir ella.

—¡Por Dios! No vuelvas a repetirme que he visto a un estúpido vampiro.

—Yo no tengo la culpa de tus visiones —protestó.

—Creo que alguien me está tomando el pelo.

—Yo acabo de llegar —dijo la voz tímida de Oscar, que parecía pedir disculpas por no ser el dueño de la sombra.

Miré alternativamente sus rostros.

—No te preocupes —Lucía exprimió un limón en el té—. No ha sido ningún vampiro; solo el Rubio.

—¿El Rubio?

—Melusino —Oscar forcejeó con la tapa del frasco de aceitunas—. Lucía lo ha bautizado así porque camina tan suave como un hada. Fue una casualidad.

—¿Qué cosa?

La tapa del frasco cedió.

—Que su aparición coincidiera con aquella lectura. Estábamos leyendo un diccionario de mitología donde aparecía el hada Melusina —las aceitunas resbalaron sobre la fuente de porcelana—. Por cierto, tenemos que enseñarte ese libro...

—¿Y qué pasó? —insistí—. ¿Cómo fue que lo vieron?

—Igual que tú —dijo Lucía, mientras echaba hielo en la jarra del té—. Yo estaba en la cocina y Oscar en el baño. Oí que alguien andaba por el pasillo y, como pensé que era él buscando una toalla, ni siquiera miré. Un minuto más tarde, Oscar gritó desde el cuarto.

—Solo llamé.

—Gritaste —insistió Lucía— y tanto que hasta el perro se asustó en el patio. Cuando llegué, estaba más blanco que el papel. Me dijo que había visto pasar a una persona frente a la puerta. Creyendo que era yo, fue hasta el cuarto; y allí me sintió trajinar en la cocina. Entonces nos dimos cuenta de que había alguien más en la casa y que no era ningún vampiro.

—¿Cómo lo supieron?

El hielo cayó estrepitosamente en los vasos, con la rubia cascada del té.

—Porque era una sombra luminosa, y el vampiro es oscuro y da miedo.

Parecía la explicación más lógica del mundo, y no pude alegar nada contra semejante argumento.

Tres días después, volvieron a verlo. Ambos comían en la cocina cuando escucharon el roce de unos pies descalzos. Los dos alzaron la vista en el preciso instante en que el muchacho pasaba. No tenía aspecto de fantasma: era alto y de piel tostada —cubierto por una trusa de color verde—; y muy rubio, con ese color que solo tienen ciertos adolescentes cuando su pelo se ha expuesto al agua de mar.

Fue Lucía quien aventuró una explicación; seguramente era un habitante de otra dimensión que, por cualquier causa desconocida, mantenía un punto de contacto con nuestro mundo en la zona correspondiente al pasillo. Tal vez ese mismo sitio, en su universo, fuera un pedazo de costa cercano al mar.

Lo curioso es que el muchacho jamás pareció darse cuenta de nada. Cada vez que aparecía, lo llamaban, le gritaban, e incluso una tarde Lucía le arrojó instintivamente un pedazo de galleta que tenía en la mano y que, por milagro, no lo tocó; pero él siempre continuaba su camino, imperturbable.

—¿Y nunca han sentido miedo? —preguntó.

—Con los vampiros, sí.

—No, no. Me refiero al Rubio.

—Es solo un muchacho tostado por el sol —recordó mi amiga suavemente—. ¿Cómo podría asustarnos, aunque se mueva con el aire de las hadas?

Más tarde, aprovechando una distracción de Oscar, me susurró:

—¿Miedo? Si lo hubieras visto no habrías preguntado eso —sonrió casi maligna—. Dan ganas de llevárselo a la cama.

Y aquella confesión cerró el tema ese día.

Dos meses después del incidente con el «hado Melusino», se produjo otra tertulia en el dormitorio del espejo. Tras un maratón de lecturas, hicimos una tregua para comer. Ya no recuerdo de qué hablábamos. Solo sé que el tono general de la conversación era lo suficientemente divertido para permitirnos apreciar luego un cambio en el ambiente.

El timbre de la puerta sonó. Se trataba de una amiga de Lucía con su hijo de diez años. Cuando nos presentaron ella se acercó a besarme en la mejilla, pero experimenté una ola de repulsión que me hizo retroceder violentamente. Fue una mezcla irracional de asco con un instinto parecido a lo que llamamos mala impresión. ¿Y acaso no vi también aquel movimiento, como un ala oscura y fantasmal, agitarse a sus espaldas sobre el fondo del fatídico espejo? ¿O todo fue parte de un sentimiento que adquirió formas inusitadas en mi imaginación? Cuando me di cuenta de mi descortesía, ya era demasiado tarde.

Se hizo un silencio molesto. Oscar y Lucía también habían percibido mi repliegue y no sabían cómo salir de esa situación. Felizmente la propia visitante comenzó a hablar de sus problemas laborales; y la conversación volvió a fluir, aunque pesadamente. Diez minutos después se despidió, alegando que tenía otra visita que hacer. Tras acompañarla a la puerta, Oscar regresó a su sillón.

—¿Qué te pasó? —noté una sombra de curiosidad en la voz de Lucía.

Traté de ser todo lo explícita que pude.

—¿Ves? —suspiró cuando hube terminado—. Lo sentiste.

—Y no sabías nada —agregó Oscar.

—¿No sabía qué?

—A Mirna la persigue un vampiro.

—¿Saben que estoy a punto de no volver por aquí? —repuse con toda sinceridad—. Ya empiezo a aburrirme de la misma historia.

Abrí la lata de galletas y Lucía volcó la mermelada en el plato.

—Pues yo creo que ciertas cuestiones que se asumen como fantasías, no lo son —afirmó Oscar—. Nacen de una realidad ajena y solo por eso se convierten en mitos.

Me serví más mermelada.

—Para ti, ¿qué son los vampiros? —lo interrogué.

—Seres de otra dimensión.

—Ah...

Y no se me ocurrió añadir nada más.

—¿Cuántos universos paralelos existen junto al nuestro?

—Nadie sabe —murmuré—; ni siquiera los físicos que trabajan con esas teorías.

—Pero existen —me aseguró en un tono que recordaba el *eppur si muove* de Galileo.

—Sí.

—¿Y por qué en uno de ellos no podría encontrarse el mundo que dio origen a la leyenda de los vampiros?

—Es la primera vez que oigo semejante idea.

—Tal vez nadie intentó buscar una explicación; mucha gente se aferró al mito, y el resto de la humanidad no pensó más en eso.

—¿Y cómo la encontraron ustedes?

—No tenemos toda la explicación, pero sabemos varias cosas.

—En ningún libro...

—Olvídate de los libros —me interrumpió Oscar—.

Todo lo que cuentan son ficciones.

—¿Y ustedes no?

—Hemos investigado —declaró Lucía—. Durante años reunimos experiencias y conocimos a distintas personas que parecían perseguidas por lo que muchos llaman maldición. Poco a poco hemos ido atando cabos, y al final logramos conformar un modelo teórico que, hasta el momento, se ajusta muy bien a nuestra hipótesis.

Terminé de tomarme el jugo:

—Ustedes mismos han dicho que esas son «teorías». Y lo que acaba de sucederme con Mirna podría ser...

—Lo que acaba de sucederte es una prueba —Oscar había adoptado la actitud de quien se entrega por completo a la conversación.

—No veo cómo.

—¿Acaso la conocías? —intervino Lucía.

—Sabes bien que no.

—¿Te hablamos de ella en otra ocasión? ¿Tal vez mencionamos su problema, y ya no lo recordamos?

Los miré en silencio.

—Entonces el vampiro es cierto —indicó ella.

—¿Cuál vampiro? —insistí—. Yo nunca mencioné ninguno.

—Mirna forma parte de nuestra experiencia en relación con el vampirismo —aseguró Oscar—. Es algo que deberás admitir, quieras o no, sobre todo después de lo que te ocurrió.

Y enseguida pasó a contarme la historia de esa muchacha. Siempre había sido una persona extremadamente alegre y llena de vitalidad (ese tipo de gente que sigue escalando una montaña, aunque todos estén pidiendo diez minutos de descanso). Se casó, tuvo un hijo y después se divorció. Cierto día quiso tomarse unas vacaciones. Dejó al niño con su madre y se fue sola a Santiago de Cuba para pasar dos semanas en un hotel. Cuando regresó, ya era otra: había adelgazado, su rostro tenía una palidez anormal y —lo que más asombró a todos— no le quedaban restos de aquella energía innata. En tres oportunidades trató de entablar relaciones con diversos hombres, pero ninguno le duró más de dos semanas. Todo le salía mal.

—De eso nos enteramos por unos amigos —afirmó Oscar—. Lucy y yo fuimos a visitarla para ver si podíamos ayudarla en algo. La propia Mirna nos abrió la puerta y, casi antes de saludar, ya estaba rogándonos que ocupásemos el dormitorio vacío. De ese modo no estaría tan sola. Le preguntamos si estaba enferma; ella solo dijo que se sentía cansada y que nuestra compañía le haría mucho bien. Luego nos interesamos por el niño. Ricky había sido siempre un bebé de cara colorada, pero cuando su madre lo trajo, observé de reojo la expresión de Lucía; estaba tan impresionada como yo. Aquel chiquillo fuerte, de vitalidad heredada de la madre, era igualmente su vivo retrato en los últimos tiempos: pálido, flacucho y con los ojos llenos de sobresalto...

—¿Quieres decir que el vampiro también le chupaba la sangre al niño?

Oscar y Lucy se miraron entre sí.

—¿Sangre? —preguntó él—. ¿Quién ha hablado de sangre aquí?

Los observé un tanto perpleja.

—La leyenda deforma muchas cosas —observó Lucía—. Si la gente que cae bajo la influencia de un vampiro se vuelve débil y pálida, eso no quiere decir que tenga anemia. Los vampiros no chupan sangre, sino energía.

—Por supuesto —prosiguió Oscar—, en aquel momento creímos lo mismo que tú. Le hablamos de su aspecto con cautela para no alarmarla, pero ella afirmó que los análisis médicos eran negativos: nada de anemia, ni deficiencias hormonales, ni trastornos en las glándulas; apenas una leve depresión nerviosa... Así es que al día siguiente nos instalamos en su casa con alguna ropa y varios libros que necesitábamos para trabajar.

—Y ahí mismo empezaron los problemas —lo interrumpió Lucía—. En aquella época, ninguno de los dos pensaba en vampiros. Sin embargo, cada vez que yo me levantaba de noche para ir al baño, tenía la certeza de que había uno observándome en medio de la sala. La sensación llegó a aterrarme tanto que siempre encendía todas las luces, pero al mismo tiempo me parecía demasiado ridícula para comentarla con nadie.

Se detuvo y miró interrogadora a su compañero.

—Está bien —la animó él—. Cuéntaselo todo.

—Bueno —murmuró mi amiga—, Oscar y yo empezamos a tener problemas en la cama. No podíamos... Es decir, queríamos hacer el amor, pero era imposible. Lo extraño es que, apenas salíamos del apartamento, corríamos a cualquier posada de mala muerte. Un día Oscar me dijo que se iba a Las Villas para visitar a un hermano enfermo; casi me dio un ataque y le aseguré que por nada del mundo me quedaría sola en esa casa. Le conté sobre aquella sensación de ser espiada por alguien (no me atreví a mencionar por quién) cuando iba al baño de madrugada. Para mi asombro, él me confesó que le ocurría lo mismo; incluso fue más concreto: estaba seguro de que se trataba de un vampiro. Nos fue imposible creer que todo fuera una simple coincidencia; por eso Oscar se fue a Las Villas y yo lo esperé en nuestra casa. No obstante, cuando él volvió, regresamos al apartamento. Mirna continuaba en el mismo lastimoso estado de apatía en que la habíamos dejado. Yo insistía para que comiera o nos acompañara al parque con el niño, pero casi nunca se mostró de acuerdo. Una tarde decidió contarnos el origen de su dolencia. Había empezado en aquel hotel de Santiago donde pasó las vacaciones. Ella estaba en el restaurante esperando a que la atendieran cuando oyó una conversación en otra mesa. Un hombre narraba que el primo de su mujer había sido agredido en medio del campo por un vampiro, mientras regresaba de inspeccionar su sembrado a la caída de la noche. Mirna sintió un terror súbito y corrió a refugiarse en su habitación. Tan pronto como cerró la puerta, su cuello tropezó con algo parecido a un hilo invisible que le cortó la respiración, y se desmayó. Al despertarse, descubrió que tenía una marca morada en el cuello y ya nunca volvió a ser la misma. Como podrás imaginarte, su historia nos impresionó muchísimo porque confirmaba la idea de que había un vampiro en el apartamento. Evitando que ella descubriera nuestro miedo, le dijimos que todo podía ser resultado de una impresión psicológica; debía salir a tomar sol, *mucho* sol, pues se había vuelto una ermitaña y evitaba pasear durante el día. Cuando Oscar y yo nos quedamos solos, tratamos de sacar conclusiones: tal vez aquel relato que oyó en el restaurante había debilitado sus defensas mentales, abriendo una especie de canal psíquico que permitió la entrada de un vampiro en acecho... el mismo que ahora le impedía llevar una vida normal. Si no hubiéramos adivinado su presencia antes de que ella nos contara todo, lo habríamos tomado como una fantasía. Y luego pasó algo peor.

—¿Qué cosa?

—Un domingo por la tarde estábamos viendo una película en el televisor —prosiguió Lucía—. De pronto oímos una voz en el fondo del apartamento; era un sonido gangoso, como de alguien que se está ahogando y le cuesta trabajo pronunciar las palabras. ¡*Cui... da... do*!, fue lo único que dijo. Miré a Oscar, él me miró a mí, y Mirna lo miró a él con la misma expresión sorprendida que debía tener yo. «¿Qué fue eso?», preguntó ella. Y enseguida, antes de que pudiera añadir algo, volvió a repetirse la advertencia: ¡*Cui... da... do*!

—¿Y qué hicieron?

—Te podrás imaginar —Oscar retomó la narración—. Corrimos por el pasillo hasta el final de la casa. En el último cuarto, Ricky estaba jugando con un pedazo de tabla que tenía un clavo así de este tamaño —y separó sus manos para indicar un imaginario y quizás algo exagerado objeto punzante.

—Si no llega a ser por eso —apuntó Lucía—, posiblemente el niño se hubiera herido.

—¡Qué extraño! —quedé pensativa—. Se supone que un vampiro no avise, como si fuera un ángel guardián, sobre el peligro que pueda correr un niño frente a un clavo, por muy grande...

—¡Dios mío! —la exclamación de Lucía fue un grito.

—¿Qué pasó?

Vi crecer la palidez en su rostro.

—Un clavo. ¡Un clavo! —repitió—. ¿Saben con qué se mata a los vampiros?

Nos miramos espantados. Era imposible olvidar la leyenda que aconsejaba incrustar una estaca o un clavo —preferentemente de plata— en el corazón de un vampiro para impedir que volviera a levantarse.

—¡Lo decía por él! —Lucía hablaba casi histérica—. Estaba asustado porque el niño podía herirlo. ¡Y gritó para que lo alejáramos!

Pocas veces en mi vida he experimentado una sensación de espanto tan absoluta como aquella tarde.

—Voy a la cocina —susurró Oscar con voz temblorosa—. ¿Alguien quiere más té?

A su regreso llenó los vasos de infusión helada y se dedicó a comentar la falta de sensibilidad que existía entre muchos pretendidos críticos, incapaces de asumir la intención de una idea fantasiosa. Y de ahí la conversación derivó a la poca inventiva de algunos escritores y a la necesidad de tratar los viejos temas literarios desde otra perspectiva. El resto de la tarde descansó en una borrachera de asuntos, poco o nada relacionados entre sí: la bomba de neutrones, el culto egipcio a los gatos, los poemas surrealistas, la inteligencia de los delfines y la ambigüedad sexual en el imperio grecorromano.

Aunque mi interés por la cuestión de los vampiros había aumentado a niveles casi dolorosos, comprendí que no era aconsejable forzar aquella especie de ejercicio fabulador en que se habían convertido las tertulias. ¿O tal vez sería un exceso de racionalismo mío (aquel que yo tanto criticaba) lo que me impulsaba a asumirlo todo como un simple pasatiempo de la imaginación?

Tres semanas más tarde, se presentó el momento propicio para continuar el interrumpido diálogo. En aquellos días todo el país se hallaba conmocionado ante la noticia, publicada en la primera plana de varios periódicos, de las espectaculares maniobras de dos ovnis en el territorio de lo que aún era la Unión Soviética. Poco después apareció la reseña sobre otro objeto similar, visto por centenares de ciudadanos, en un país africano. Y luego se reportó un incidente parecido en la zona oriental de Cuba. De pronto pareció como si todo el mundo empezara a ver ovnis por primera vez en su vida. Sin embargo, desde mucho antes, Lucía, Oscar y yo conocíamos de observaciones semejantes hechas desde el malecón de la Habana, en escuelas en el campo, en la Estación Terrena Caribe —donde se reciben y transmiten programas vía satélite—, y en multitud de lugares más. En su mayoría eran casos cuyos protagonistas nunca se atrevieron a hablar con nadie, excepto con nosotros; lo cual, según comentamos más tarde, es una de las pocas ventajas de ser escritor: todo el mundo parece dispuesto a contarte sus experiencias más secretas y extrañas... Pero después de la noticia oficial, la discusión sobre la existencia de los ovnis —y la palabra traía siempre una connotación de nave extraterrena— volvía a surgir libremente bajo las noches en que miles de cubanos alzaban sus ojos al cielo con la esperanza de sorprender alguna luz inusitada.

—La gente nunca habla sobre ciertas cosas hasta que no estalla algo enorme —se dolió Lucía—. Es indignante que no crean lo que ven con sus propios ojos, a menos que alguien se lo confirme. ¿Por qué son tan incrédulos?

—La gente siempre tiene miedo; pero no de aquello que ve, sino de lo que otros pensarían si ellos osaran admitirlo en público.

—Es verdad —susurré hojeando un libro—; aunque también sospecho que muchas personas han vivido situaciones insólitas y no han sabido reconocerlas... Por ejemplo, ¿cómo alguien puede afirmar si realmente está cerca de un vampiro, o solo se enfrenta a sus nervios destrozados?

—Yo tengo un método —dijo ella.

—A ver...

—Existen dos clases de vampiros: los negros y los rojos. Los vampiros negros son fáciles de reconocer porque destilan el Miedo...

—Cualquier cosa extraña infunde temor.

—No, no. Fíjate en la frase: destilan *el* Miedo, *el* Inmedible, *el* Absoluto. Si alguna vez pasas bajo las ramas de un árbol o atraviesas la calle bajo la solitaria luz de un farol, y sientes *el* Miedo, podrás estar segura de que algún vampiro negro te ha visto desde el umbral de su propia dimensión.

—¿Y qué debo hacer para alejarlo?

—No puedes hacer nada. Aunque tal vez lo mantengas a raya si no le abres un canal.

—¿Cómo es eso?

—La posesión depende mucho del aspecto empático. Si tienes suficiente voluntad y te repites a ti misma que nunca logrará dominarte, puedes estar segura de que no lo hará.

—Pero el miedo debilita las defensas de cualquiera.

—Por eso no te preocupes. *Ellos sienten tanto miedo como tú.*

—¿Por qué van a temerme?

—¿Por qué les temes tú?

Aquello parecía un concurso de nervios.

—No sé... Si supiera que algo o alguien, cuyo origen exacto no puedo determinar, me espía; y si ese algo fuera tan inexplicable que mi lógica no bastara para darle base racional a su existencia, sería normal que me asustase, ¿no?

—Lo mismo le ocurre a ellos: el temor es mutuo e inevitable, aunque sean ellos quienes nos perjudiquen y nunca logremos devolverles el daño.

—Creo que ahí te equivocas —objetó Oscar—. No podemos saber si nuestra cercanía les produce un efecto parecido.

—Bueno, está bien —intervine sin dejar que se iniciara otra discusión—. Los vampiros negros se reconocen porque destilan el Miedo. ¿Y los vampiros rojos?

Se miraron entre sí. Lo que adiviné en sus rostros fue suficiente para sobrecogerme antes de oír la respuesta.

—Son terribles —murmuró Lucía finalmente—. Fríos y sádicos; de una lujuria inagotable, pero cruel; de esa lujuria que solo goza haciendo sufrir. Cuando un vampiro rojo se acomoda en un dormitorio, los amantes padecen una rara inapetencia, fácil de detectar si ambos se conocen bien. Y si alguien tiene la desgracia de tener que dormir solo en la habitación de un hotel ocupada por uno, sufrirá terribles pesadillas sexuales.

—¿Qué tipo de pesadillas? —pregunté.

—Depende. Habrá hombres que te violen sin descanso o entes fantasmagóricos que te desnuden para tocarte el cuerpo; tal vez todo el sueño sea una carrera alocada, huyendo de algún maniático que pretende atarte a una cama para luego deleitarse contigo... No habrá sangre ni mutilación; solo una sórdida atmósfera de deseo. Y a pesar de todo, tu despertar será húmedo; sentirás una necesidad violenta de ser coaccionada, maniatada y reducida a la condición de criatura lista para servir de disfrute. Quizás, incluso, tengas que masturbarte. Pero el vampiro no dejará que ningún otro ser viviente se aproxime a ti con intenciones eróticas. Te forzará a entregarle toda tu sexualidad, todas tus fantasías de amor y de muerte... Las maneras de un vampiro rojo son fáciles de reconocer.

—Entonces el vampiro que... habita —estuve a punto de decir «cohabita»— en casa de Mirna, es rojo.

—Sí —afirmó Oscar—. Lo raro es que la especie menos terrible (la de los vampiros negros) ha despertado el mayor número de leyendas entre nosotros.

—Tal vez sea porque los vampiros negros producen el Miedo — aventuré yo—. Y los rojos solo provocan una lujuria tan terrible que sobrepasa la sensación de temor.

—No creas —me aseguró Lucía—. Los vampiros rojos causan tanto miedo como los otros. El problema es que cuando se apropian de alguien, la persona se acostumbra a ellos y deja de temer: vive todo el tiempo concentrada en sus fantasías sexuales, y la obsesión por lo erótico apenas la deja pensar en otra cosa. Por eso, cuando algún poseído se masturba, en realidad es el propio vampiro quien disfruta de su orgasmo; uno se convierte en su instrumento de gozo y perversión. Yo creo que los vampiros rojos son más peligrosos que los otros... Y sin embargo, la gente sigue temiendo a la casta oscura e ignora dónde radica el mayor peligro.

—Por suerte —añadió Oscar—, ninguno se atreve a acercarse mucho; tal vez perciben que somos de una naturaleza muy diferente.

Cuando le recordé que había uno viviendo allí, mi amiga me sirvió otra taza de té y declaró:

—Quizás no me expliqué bien. Los vampiros viven en otra dimensión y no pueden abandonarla. Solo logran vislumbrar determinadas zonas de intersección que utilizan como ventanas para asomarse a nuestro mundo. También nosotros, involuntariamente, somos capaces de penetrar en esas zonas de contacto. Pero nadie puede traspasar las fronteras que separan ambos lugares. A lo mejor existe alguna forma de energía que nos mantiene sujetos a nuestros respectivos universos.

Y mientras hablaba, me dejé arrastrar por aquella especie de juego que permitía las más descabelladas elucubraciones. Era un ejercicio demasiado fascinante; cada detalle concordaba con otro anterior. Según mi amiga, el mundo de los vampiros era un planeta en permanente crepúsculo; su temor a la luz solar parecía confirmarlo. Posiblemente la vegetación y la fauna tuvieran los mismos colores umbríos de su especie... De todos modos, su civilización debía ser bien extraña: una cultura dividida en dos pueblos o castas, con características diferentes.

Estuve rumiando esa idea hasta que recordé la impresión que me daba su casa. Les pregunté si conocían la naturaleza del vampiro que la habitaba.

—Pertenece a la casta negra —me dijo Oscar—. Lo he sentido... igual que tú.

—Yo lo vi —aseguró Lucía—. Aquí. En este mismo cuarto. *Me miraba desde el espejo.*

—¿Cuál espejo? —empecé a sufrir de taquicardia.

—Ese —señaló hacia el marco triangular donde yo había visto (o creído ver) la sombra lustrosa de un vampiro, por primera vez, cuando pensé que Oscar regresaba del baño; y más tarde, cuando Mirna se inclinó para besarme.

—Este no es un espejo normal —explicó Oscar—. Ha pertenecido a la familia de mi padre desde hace generaciones. ¿Ves?

Con dificultad levantó el marco y me mostró una fecha casi invisible al borde: 1680.

—¿Es su año de construcción?

—No —respondió con seguridad—, esa es otra historia... Mi tatarabuelo lo encontró mucho después, en 1862.

Y pasó a contarme lo que sabía.

Aquel hombre había llegado de islas Canarias con la esperanza de hacer fortuna. Su oficio era la pesca. Salía de madrugada en un botecito medio podrido y regresaba con la puesta del sol. En cierta ocasión, el oleaje provocado por el mal tiempo levantó la embarcación a una gran altura y lanzó al mar a su único tripulante; aunque trató de llegar al bote, la corriente los separó y él no tuvo otra alternativa que nadar hasta la orilla. A pesar del temporal, el sol brillaba a retazos. De otra manera nunca hubiera descubierto el objeto que relucía entre las rocas, a dos brazadas de la superficie. Sin pensarlo, se hundió bajo las aguas y sacó a la luz aquel mueble que ahora colgaba frente a nosotros: el marco semejaba un perfecto triángulo isósceles, con un metro de longitud por cada lado; al centro se destacaba el óvalo del espejo. Lo más curioso era que no tenía el menor arañazo; parecía como si alguien lo hubiese depositado allí un momento antes. El pescador perdió el bote, pero se llevó aquel espejo fastuoso para su cabaña. Por razones misteriosas, el objeto obsesionó de tal manera a cuantos lo poseyeron que ninguno se atrevió a venderlo, ni siquiera en las peores situaciones económicas. Todos indagaron sobre su posible origen, pero jamás se supo de ningún barco que naufragara cerca, ni de persona que hubiese perdido un mueble semejante... Tres veces en la historia de la familia, el cristal del espejo había mostrado cosas horribles, lo que provocó su consiguiente confinamiento al sótano o su ocultamiento con una tela arrojada por encima. En el año que aparece en el marco, los espejos constituían verdaderas rarezas en Europa. Murano y París eran aún las mecas impenetrables donde se construían; únicamente las familias reales podían adquirirlos. El método de fabricación era un enigma y varios países andaban a la caza de su secreto. Nadie sabía si la magia que permitía reflejar el mundo respondía a una combinación de elementos puros, de sales o ácidos. Por eso ninguno de sus dueños se sorprendió ante la frase grabada en su reverso.

—¿Cuál frase? —lo interrumpí—. ¿Todavía la tiene?

Oscar se levantó y descolgó el marco. Con sumo cuidado lo depositó bocabajo en la cama y señaló unos trazos grabados en la esquina superior derecha: SAL DEL ESPEJO.

Me costó trabajo descifrarla porque la mitad inferior de las letras no existía, dando la impresión de que el resto se encontraba en alguna tabla faltante. Además, la frase estaba al revés: la mitad superior de las letras aparecía de cabeza al suelo.

—¡Qué raro! —exclamé—. Que yo sepa, los espejos nunca se hicieron con algo parecido a la sal.

—No te has fijado en esto— dijo él, apuntando hacia la parte superior izquierda.

Habiendo leído lo anterior, no me fue difícil descifrar aquellos cortes. Eran los mismos del extremo derecho; solo que aquí estaban bien orientados y, por tanto, aparecía la porción inferior que faltaba al otro lado.

—¿Y no averiguaron qué significa esto?

—Nunca se supo hasta hace unos años. Mi papá era un gran lector; devoraba cualquier tipo de libros. Cuando todavía era novio de mamá, sacó un tomo de una recién fundada biblioteca... Jamás lo devolvió.

Fue hasta el librero y cogió un volumen de páginas amarillentas. Me lo alcanzó sin despegar los labios y yo le di vuelta para leer el título: *Secretos del culto maya de los muertos: ritos y costumbres*. Era la segunda edición, hecha en 1939; la primera databa de 1902. Su autor se llamaba Fred Mackall.

—No veo que relación...

—Llévatelo y léelo. Pero trata de hacerlo de día.

—¿Qué pasa? —protesté—. No soy una niña.

—Tendrás pesadillas —me advirtió—. Sobre todo porque has visto el espejo.

No le hice caso.

Y tuve pesadillas.

El libro contenía los ingredientes necesarios para quitarle el sueño a cualquiera. Fred Mackall indagó en fuentes poco accesibles de la Biblioteca de las Indias, y así obtuvo un testimonio de primera mano. Aunque el documento original se había perdido, existía una copia hecha por un amanuense clandestino.

Los mayas sentían un respeto místico por los muertos. Su vida diaria y sus rituales constituían un perpetuo homenaje a dioses y espíritus. Con la llegada de los europeos, los imperios de América se tambalearon. Los mayas —al igual que los incas— intentaron esconder sus riquezas de la codicia europea, pero apenas pudieron salvar una décima parte. La mayoría de sus joyas, ídolos y adornos, cayó en poder de la corona española, que los fundió o transformó en algo distinto.

Un cronista indígena de la época aseguraba que el maravilloso Objeto de los Dobles casi escapó de los conquistadores a través del Puente Secreto; únicamente la mala suerte impidió que los sacerdotes mayas lograran ocultarlo a tiempo.

Tanto para el cronista como para los españoles, el Objeto de los Dobles fue un enigma. Según la leyenda, era un cuadrado en cuyo centro se abrían cuatro pétalos que reflejaban el mundo de los vivos y permitían el paso de seres tenebrosos. Cuatro sacerdotes dominaban el ritual para entrar en contacto con estos últimos; y ese conocimiento se transmitía de maestro a discípulo. Por último se aclaraba que solo la disolución de la flor podría impedir el avance de los espectros al mundo de los vivos.

Los conquistadores echaron mano al misterioso objeto que enseguida fue enviado a España, yendo a parar a los tesoros del Santo Tribunal... de donde fue robado, presumiblemente por algún discípulo de Satanás que le daría mejor uso en sus orgías sabáticas. En este punto de la historia, Mackall lo perdía de vista.

Es de suponer que tanto la frase como la fecha, escritas en español, fueran grabadas por algún brujo o bruja que descubrió cómo abrir aquella misteriosa puerta entre dos dimensiones. También es posible que la propagación de la leyenda del vampiro por Europa se haya debido al azaroso destino del mueble.

Con toda seguridad, su potencia debió asustar a sus propios acólitos que decidieron dividirlo, rompiendo así no solo la integridad de la frase SAL DEL ESPEJO, cuya intención de conjuro es evidente, sino también la posibilidad de que otros pudieran valerse de él. Quizás las criaturas liberadas demostraron ser más poderosas que los hechizos para controlarlas. De todos modos no hay duda de que el miedo se apoderó de sus poseedores, y la corola fue dividida y sus pedazos dispersos por el mundo.

Cuando terminé de leer, supe que el cristal ovalado era uno de los cuatro pétalos que otrora conformaran la flor diabólica de los mayas. Por sí solo, había perdido su capacidad para permitir el paso de los vampiros a nuestro universo; pero todavía era capaz de mostrar fugaces visiones de ellos.

Lo más desconcertante resultaba el origen mismo del espejo. La crónica señalaba que el Objeto de los Dobles existía mucho antes de que los mayas dejaran de ser una tribu que vagaba por la región. Sus propietarios anteriores habían desaparecido misteriosamente —como harían los mayas más tarde—, abandonando viviendas, animales domésticos, templos y cosechas, que terminaron siendo devorados por la selva... ¿Acaso esas desapariciones estarían vinculadas con aquel mundo en sombras, cuyo puente de acceso era el espejo? El cronista no lo afirmaba; tampoco lo negaba.

Fuese quien fuese su constructor, debió ser una criatura conocedora de leyes que aún hoy ignoramos: diseñar un objeto con el único propósito de servir como vía de acceso a otra dimensión, es una posibilidad tan lejana para nosotros que más parece un asunto del futuro que del pasado... A no ser que nuestra concepción de la prehistoria se encuentre completamente errada.

Muchas veces he lamentado que ciertos símbolos, tan viejos como la historia de la humanidad, pierdan su significado y se conviertan en algo distinto. Ese había sido el caso, por ejemplo, de la cruz gamada o suástica, que hasta los albores del siglo XX había sido un inocente dibujo surgido en la Edad de Bronce. Su esfera de influencia recorría Europa, la India, Asia Menor, el Extremo Oriente, algunos sitios de Centro y Suramérica, y hasta Norteamérica, donde todavía algunas tribus lo utilizan como ornamento. Era un emblema de movimiento, relacionado con la energía solar. El sesgo militar de los hitlerianos corrompió su valor original, convirtiéndolo en el más despreciable de los signos.

No tan dramática, pero igualmente cambiante, fue la suerte de la cruz latina. En sus orígenes, nada tuvo que ver con las corrientes del pensamiento cristiano. Incluso pueblos que jamás conocieron el cristianismo, como las culturas precolombinas, la veneraban como un atributo de fertilidad y de vida.

Para el hombre familiarizado con la iconografía cristiana —sea o no creyente—, la idea de que una cruz pueda detener el avance de un vampiro contiene implicaciones mezcladas con Dios y Satanás. Pero al investigar los orígenes de algunas supersticiones, surgen verdades sorprendentes, como aquella con la cual tropecé cuando intenté hallar la posible conexión entre los vampiros y la cruz.

Me resistía a admitir que aquel *vade retro* obedecido por las criaturas de la oscuridad tuviese algo que ver con la presencia de alguna religión específica. Encontré la respuesta por casualidad.

Registrando la biblioteca de un amigo, tropecé con un diccionario de símbolos. Al abrirlo, mis ojos cayeron sobre el sustantivo *cruce*, cuyo texto decía: «El cruce de dos líneas, objetos o caminos, es un signo de conjunción y de comunicación, pero también de inversión simbólica, es decir, aquella zona en la cual se produce un cambio trascendental de dirección, o se desea provocar ese cambio. Por ello, la superstición utiliza el cruce de dedos, o de objetos. En las danzas medicinales se cruzan espadas y barrotes, para provocar el cambio (curación), es decir, para modificar el curso del proceso sin que este llegue a su final ordinario».

Al instante pedí papel y lápiz para copiarlo y llevárselo a Oscar y a Lucy. Esa nota provocó innumerables discusiones.

¿Acaso la primera civilización que logró hacer contacto con los vampiros había inventado o descubierto un medio para mantenerlos a raya? ¿Había existido un condicionamiento previo —algo así como un mecanismo de hipnosis— ante el cual cualquier vampiro que viera una cruz (fácil de hacer al momento con un par de estacas o líneas) se sintiera obligado a retroceder? ¿Fue ese un elemento impuesto por los presuntos constructores del espejo, o estos se limitaron a utilizar un código o ley o costumbre ya existente en aquel universo tenebroso? ¿Era por esa razón que la cruz se había desarrollado entre las culturas precolombinas como un símbolo de vida, contrario al mundo que combatía?

A pesar de las especulaciones, una cosa nos pareció evidente: el temor que los vampiros experimentan ante la presencia de la cruz, no tiene ninguna relación con la leyenda cristiana. Elementos mucho más complejos, y quizás de mayor profundidad psicológica, se han enlazado hasta conformar un mito cuyo origen se pierde en las profundidades del tiempo.

También la superstición ha afirmado que los vampiros no pueden reflejarse en ningún espejo; de ahí que se recomiende ponerlos frente a uno, como un método seguro para reconocer si estamos en su presencia. Y es igualmente por esa razón que ellos los evitan, llegando a destruirlos si un ser humano anda cerca. Toda esta leyenda, en apariencia absurda, se explica si razonamos un poco.

El vampiro es una criatura que pertenece a otro universo, aun cuando su imagen parezca estar aquí. Lo que vemos es solo una proyección del cuerpo que ha quedado en su lugar de origen. Ahora bien, como la proyección es psíquica y está dirigida a nuestra mente —al menos, eso indican sus efectos sobre el ser humano: impresiones de terror, lujuria desquiciada, sentimiento de inquietud— tal imagen no existe en la realidad circundante. De ahí que algunas gentes los perciban y otras no, según el interés particular del vampiro. Y por eso los espejos no pueden reflejarlos: porque su imagen está *dentro* de nosotros.

Lucía, Oscar y yo también sostuvimos largas conversaciones sobre los famosos efectos del ajo. Puesto que esa planta no existía en América a la llegada de los conquistadores, su conexión con los vampiros debía tener su origen en la Europa postmedieval. Tal vez quienes se relacionaron con el Objeto de los Dobles descubrieron propiedades ocultas en la planta que ayudaba a alejarlos o a contrarrestarlos; quizás el trato con los vampiros producía llagas o infecciones, para lo cual las propiedades del ajo son inmejorables... Pero sobre esto no pudimos llegar a ninguna conclusión satisfactoria; ojalá otros lo hagan.

Mis amigos ya no viven en aquella casa de habitaciones amenazantes; dejaron atrás el peligro que parecía respirarse en ella, y también toda posibilidad de comunicarse con aquel encantador hado rubio. Me pregunto si sus nuevos inquilinos serán capaces de imaginar que el pasillo central de su respetable morada es un punto de contacto con otra dimensión; me pregunto qué pensarían si alguien se los dijera; me pregunto qué cosas habrán visto o sospechado desde que viven allí.

Mientras tanto, el pétalo de cristal cuelga en un apartamento encantadoramente decorado. Sus dueños trabajan, crían a un gatico glotón, y salen al mundo cada mañana. Ningún vecino sospecha el temible elemento cobijado entre las paredes de su casa. Incluso yo, que he visto y sentido cada arista del horror que se alberga en el marco oscuro, creo a veces que todo fue un sueño que pronto olvidaré.

Vana idea, claro está, puesto que sigo siendo amiga de aquel matrimonio y las tertulias continúan en el nuevo apartamento donde, últimamente, han empezado a ocurrir hechos inexplicables. El espejo parece contener algún tipo de energía que provoca alteraciones en el medio circundante. Una tarde, mientras conversábamos sobre razas de perros, un hermoso ejemplar de peluche colocado sobre el escaparate saltó sobre nosotros; otro día, un vaso que fui a coger salió disparado en dirección contraria y se estrelló contra una pared, sin que yo hubiera podido rozarlo siquiera. Después de tales hechos, evito hallarme a solas con el espejo. Y si quiero peinarme o arreglar algún detalle de mi ropa, siempre intento hacerlo de frente; nunca de reojo. He notado la aparición fugaz de siluetas cada vez que miro en otra dirección...

La realidad no está hecha solo de luz; también las sombras se ocultan en los resquicios de sus múltiples recovecos. A veces, cuando voy a mirarme en cualquier espejo, el recuerdo de *aquel* me lo impide. Temo descubrir algo horrible si me acerco.

Quizás algunas personas encuentren ridículo mi recelo; también es natural que yo sonría ante miedos diferentes. Pero toda aprensión es justificable porque el terror siempre existe bajo ese frágil manto al que llamamos cordura. Además, nadie puede vanagloriarse de conocer sus más recónditos pensamientos y deseos. Nuestras pesadillas –oníricas o reales— son la prueba. Cualquier horror posible es real, y todos llevamos un trozo de oscuridad en el espíritu. Frente al miedo ajeno, prefiero la duda; nunca el sarcasmo. En definitiva, cada cual teme a sus propios fantasmas.

PROSAS ARDIENTES

La sustancia de los sueños

A Luis Rogelio Nogueras,
in memoriam

7 de julio
Hoy fue tu entierro. Alguien comentó que asistieron tus amigos y la mayoría de tus enemigos. Las únicas ausencias notables fueron dos: la de ese amigo mutuo, a quien llamabas el Juglar, y yo, la más conocida de tus amantes.

8 de julio
Ha sido un día extraño. Me muevo como si flotara; el aire es denso. Las personas parecen muñecos sin expresión. ¿Estaré viva?

10 de julio
Rosa vino a verme. Tuvo el buen tacto de inventar una excusa, relacionada con cierto libro que yo podría conseguirle. Sé que está preocupada por mí. Trató por todos los medios de distraerme. Primero me habló de su discusión con Armando. Después se puso a contarme una película que había visto: la protagonista decide irse y él la busca desesperado. Cuando se encuentran de nuevo, él se está muriendo de cáncer y ella no quiere creerlo... En este punto del relato, Rosa empezó a tartamudear y armó un enredo tan grande que no pudo contar el final.

13 de julio
Fui al trabajo. Pensé que no podría aguantar las caras de conmiseración, las palabras de consuelo; pero la gente se

portó muy bien. Nada de expresiones serias, ni de ánimos sombríos. Hubo las mismas conversaciones de siempre, las mismas discusiones, las mismas sonrisas. La vida transcurre igual que antes. Como si no hubieras muerto.

15 DE JULIO

Anoche soñé contigo. Yo esperaba junto a un edificio solitario, construido en medio de un desierto. Ráfagas de polvo nublaban el paisaje. De pronto te vi a través de la ventisca. Aún vivías, pero estabas muy delgado. Cuatro hombres silenciosos portaban la camilla donde viajabas. Yo sentí una angustia inmensa, porque sabía que cuando pasaras por aquel camino no te vería nunca más. Me echaste los brazos al cuello y me apretaste muy fuerte, como si yo fuera la vida que no deseabas abandonar, y susurraste en mi oído, con voz espantada: *te quiero*. Pero yo sabía que tus palabras significaban: *sálvame*. Entonces nos separamos porque los camilleros no podían detenerse. Mientras ellos se internaban en la tormenta de arena, seguiste mirándome con expresión desolada hasta que te perdí de vista.

Desperté con un ataque de terror tan fuerte que vomité. Luego volví a la cama y estuve sollozando hasta el amanecer.

17 DE JULIO

Me gustaría pensar que todo esto es una pesadilla. Me gustaría imaginar que andas por cualquier calle de la ciudad, en busca de algún café o en casa de un amigo... Me gustaría creer que solo debo esperar.

19 DE JULIO

Rosa me llamó. Me dijo que alguna gente había criticado al Juglar por no haber ido al velorio; era uno de tus mejores amigos. Sin embargo, nadie hizo comentarios sobre mi ausencia. Parecía obvio que el golpe había sido terrible para mí.

¡Qué raras son las personas! ¿Por qué nadie pensó que nuestro amigo se sentía tan destrozado como yo?

20 DE JULIO

No fui al trabajo.

23 DE JULIO

Mucha gente sigue hablando mal del Juglar. Lo acusan de insensible por no haber ido a tu entierro... En otra época estuve enamorada de él. Bueno, lo sabías. Te lo conté todo: cómo nos conocimos y los detalles del encuentro. Hicimos el amor breve y furiosamente, pero al final comprendí que su espíritu era demasiado ajeno al mío y terminé sintiéndome aterrada frente a él. Tenía algo que me asustaba. Por suerte, jamás se enteró de mis miedos. Yo tampoco me enteré de lo que pasaba realmente por su cabeza. Creo que nadie lo ha sabido nunca, pero sospecho —pese a lo que digan— que tampoco pudo aceptar tu ausencia.

28 DE JULIO

Los últimos días han sido terribles. No he hecho más que tener pesadillas. Tengo la impresión de que voy a morirme. Me duelen algunos lugares del cuerpo; zonas peligrosas: vientre, pechos, muslos... Los análisis aseguran que no tengo nada, pero no lo creo. ¿Y si, en definitiva, la muerte es contagiosa?

30 DE JULIO
He tratado de imaginarte como un cadáver y no lo consigo. ¿Recuerdas aquella vez que pusiste una fruta falsa en mi comida, mientras yo miraba para otro sitio, y luego pasé un buen rato empeñada en cortarla, sin darme cuenta del cambio? Estuvimos muchos días riéndonos.

¿Cómo puede desaparecer del mundo alguien así?

2 DE AGOSTO
Anoche ocurrió algo. Me quedé dormida poco después de las doce y media. Al rato desperté con la certeza de que había alguien más en el cuarto. La oscuridad era total. No me moví por temor a que *aquello* se lanzara sobre mí. Sudaba de miedo. Poco a poco, fui deslizando mi mano en dirección a la lámpara hasta encenderla. No había nadie. O al menos no *vi* a nadie, pero la presencia quedó flotando en la habitación. De algún modo, con la luz, el horror se hizo más palpable.

6 DE AGOSTO
He vuelto a recordar tus bromas... Tal vez esta sea una de ellas. He pensado en lo que sucedería si, de pronto, empujaras una puerta y aparecieras sonriente, en medio de una fiesta donde estuvieran todos. Casi imagino la estampida general, los gritos de la gente... Yo no. Sería la única que correría a abrazarte. Besaría tus zapatos enfangados, sucios con el lodo del cementerio, y me aferraría a ellos como una posesa.

9 DE AGOSTO
Vivo aterrada. No soporto las noches. Demoro la hora de irme a la cama, porque entonces comienzan mis angus-

tias: la certeza de que padezco una enfermedad incurable, el presentimiento de un accidente ineludible... Quisiera creer en Dios para rogarle: *no me dejes morir*. Pero he perdido la fe y ahora no sé a qué aferrarme. ¿La astrología? ¿El espiritismo? También los he probado, pero no me han servido de nada.

Estoy desesperada. No sé qué hacer.

12 DE AGOSTO

Quizás lo de tu broma no sea una idea tan descabellada. Si realmente estuvieras muerto, yo lo *sentiría* y el aire traería un olor distinto. Sin embargo, solo percibo tu presencia en torno a mí. Lo único que me hace dudar es la naturaleza del juego. Se trata de un chiste demasiado cruel, y tú nunca lo fuiste.

15 DE AGOSTO

No hago más que soñar con ataúdes.

20 DE AGOSTO

De nuevo salí a la calle; ojalá no lo hubiera hecho. Me encontré con Rosa. Dos cuadras después, vi a Eddy. Iba con una muchacha y ambos reían escandalosamente. Luego me crucé con el hermano de Cristy, que llevaba mucha prisa... Los amigos parecen olvidar al amigo muerto. Cada vez se vuelven más naturales sus rostros, y eso me duele porque soy incapaz de hacer lo mismo. Me siento más sola que nunca.

6 DE SEPTIEMBRE

¿Será cierto que llevas dos meses sin abrir los ojos? ¿Qué haces allá abajo, encerrado en una caja oscura? Deberían diseñar los ataúdes con algún mecanismo electrónico que se accionara en caso de resurrección.

No sé por qué pienso estas cosas. Durante el día, la luz del sol borra toda imagen terrible; pero la proximidad de la tarde aumenta mis fobias. Cada noche me asalta un pensamiento de muerte distinto.

Creo que estoy empeorando.

9 DE SEPTIEMBRE

Desde ayer sufro escalofríos. Es una sensación molesta, porque el verano ha sido agobiante y no tengo fiebre. Cosa rara: cuando él vivía, mi necesidad de amor era diaria. Desde que murió, la tibieza que antes me dominaba ya no existe. *Mujer* y *hombre* me parecen dos vocablos sin sentido.

13 DE SEPTIEMBRE

Conservo tu último regalo: una biografía de Lovecraft. Empecé a leerme sus relatos que, en verdad, son espeluznantes; pero al menos me mantienen alejada de las amarguras diarias.

Es bueno enajenarse de vez en cuando.

16 DE SEPTIEMBRE

Me quedé en casa, pretextando dolor de garganta. Leí un poco y me acosté después del mediodía. A punto de dormirme, tuve la impresión de que alguien me observaba. Sin hacer movimiento alguno, entreabrí un poco las pestañas y vi una figura junto a la cama. Al instante supe que *aquello* no era normal; apreté los párpados instintivamente y, por un extraño mecanismo de defensa, el sopor me venció. Cuando desperté, mi blusa estaba abierta. Al parecer la zafé mientras dormía —un síntoma algo alarmante, porque los broches son complicados y no recuerdo haberlo hecho. Tendré que ir a un psicólogo, si las visiones se repiten.

18 DE SEPTIEMBRE
Te extraño tanto.

23 DE SEPTIEMBRE
Estoy harta de las llamadas telefónicas; ni siquiera mis amigos entienden que quiero estar sola.

26 DE SEPTIEMBRE
Soñé que te buscaba entre los árboles de la universidad. Yo era estudiante, como en la época en que nos conocimos. De pronto, escuché gritos. Un ras de mar subía por la escalinata hacia las aulas. El agua me pisaba los talones, pero yo corría tanto que no llegó a cubrirme. Mientras huía traté de encontrarte; pero solo distinguí rostros aterrados. Cuando las olas estaban a punto de alcanzarme, un muchacho bellísimo me tendió la mano desde un muro alto y me salvó. Después me condujo a una especie de refugio lleno de niños. Entonces aquel ángel se transformó en un modelo de malignidad. Me ató de pies y manos, y me poseyó lentamente. Los niños no se inmutaron. Por el contrario, daban indicaciones sobre lo que aquel ángel demoníaco debía hacerme y de qué forma.

Creo que iré a un psiquiatra.

30 DE SEPTIEMBRE
Rosa vino a verme. Hemos discutido sobre mis pesadillas. Según ella, estoy al borde de una crisis nerviosa. Me aconsejó que viera a un médico. Sin embargo, no sé si tomarla en serio. Él también estuvo yendo a uno, pero no le sirvió de nada.

6 DE OCTUBRE

Hace tres meses que no existes. ¿Recuerdas aquella conversación acerca de la muerte? Tus argumentos parecían lógicos: si la energía no se crea ni se destruye —solo se transforma—, los pensamientos acumulados en el cerebro no podían desaparecer. La memoria es energía: cargas negativas y cargas positivas. Me hiciste jurar que si uno de los dos moría primero, trataría de comunicarse con el otro.

Se me ha ocurrido que aquella presencia en la oscuridad del cuarto pudo ser la tuya. ¿Mantienes tu promesa? ¿Qué canal de acceso tendré que abrir para facilitar tu entrada? ¿Por qué mis sueños son tan húmedos y mis despertares tan angustiosos? ¿Acaso la vida y la muerte confluyen en el sueño?

14 DE OCTUBRE

La semana pasada empecé una terapia de acupuntura. Me siento mejor; no he tenido más pesadillas.

17 DE OCTUBRE

Estoy releyendo a Shakespeare. Su voz antigua parece hablar de ti: «*...hasta el inmenso mundo, sí, y todo cuanto en él descansa, se disolverá y, lo mismo que la diversión insustancial que acaba de desaparecer, no quedará rastro de ello. Somos esa sustancia de que están hechos los sueños...*». Si eso es así, ¿qué duda cabe sobre la naturaleza de los fantasmas que me acechan? La vida es sueño. Y la muerte, también.

20 DE OCTUBRE

Fui a casa de Rosa. Allí conocí a Julio, un hombre tan sereno que no parece cubano. Al principio se limitó a contestar con monosílabos; después habló durante horas.

Antes de despedirse, me invitó a comer. Sospecho que sus intenciones no son precisamente gastronómicas. Mi amiga opina que Julio podría ser la solución a mi soledad. Han pasado casi cuatro meses desde el entierro, y yo no debo seguir encerrada.

23 DE OCTUBRE

El calor es insoportable. Tengo la impresión de que el clima de la Tierra está empezando a cambiar. Y para colmo de males, el teléfono no deja de sonar. Se me ha ocurrido que, si no lo pago, lo cortarán y entonces podré ser feliz.

25 DE OCTUBRE

Fui a comer con Julio. Todo ha sido un desastre. Le confesé que vivía atemorizada y que había perdido todo deseo. Me dijo que eso era normal, después de la reciente experiencia. Tal vez con el tiempo... Le aseguré que no se trataba de un problema de tiempo. «Me siento culpable», le dije. «No es justo que yo pueda amar, reírme, si él no lo hará nunca más». Apenas pronuncié esas palabras comencé a llorar tan fuerte que me cubrí la boca para no gritar. Fue una escena espantosa.

Julio me llevó a casa. Antes de despedirse, quiso saber si me vería de nuevo. No le respondí.

30 DE OCTUBRE

Arranqué el cordón del teléfono: ni más números equivocados, ni más amigos tratando de saber cómo estoy. Respiro tan libre como en la cima de un monte. Se acabaron los compromisos sociales. Solo quedamos tu recuerdo y yo.

9 DE NOVIEMBRE

Rosa vino a quejarse. Mi teléfono da timbre, pero nadie contesta. Después de asegurarle que la línea se había interrumpido por unos arreglos, empezó el sermón: que yo no podía seguir así, que el mundo no giraba en torno a una persona, que Julio estuvo muy raro la última vez que lo vio, y que le dijera qué rayos había pasado. Le conté la conversación en el restaurante. «¿Sabes cuál es tu problema?», me regañó ella. «Tienes el cuadro clínico de una viuda». Traté de protestar. «No importa que jamás te casaras con él», me interrumpió. «Tienes que hacer un esfuerzo y salir a distraerte». Le dije que tal vez lo haría cuando terminara mi licencia laboral. Se marchó, refunfuñando.

14 DE NOVIEMBRE

Pronto será tu cumpleaños. Me siento feliz y triste. De nuevo lo celebraré contigo. Tu fiesta será toda una sorpresa. Te gustará.

17 DE NOVIEMBRE

Hoy es un día precioso. Gris y húmedo. Olas gigantescas golpeando la costa. Un día otoñal y nórdico, como los que me gustan.

Compré flores, pero no las llevé a la tumba... Ni siquiera sé dónde lo enterraron; nunca he querido saberlo. Las traje conmigo a casa. Coloqué algunas en el jardín: otras las fui esparciendo por el mantel que utilizo en ocasiones especiales; el resto las dispersé sobre la cama, igual que aquella noche en el hotel. Cerré puertas y ventanas para evitar las corrientes de aire, prendí una lámpara, busqué la torta, encendí las velas —cuarenta llamas temblorosas como pequeños espíritus—, y apagué la luz. Por supuesto, tuve que hacer los preparativos yo sola. Mis amigos habrían pensado que estaba loca. Sin embargo, un testigo imparcial hubiera corroborado lo que ocurrió después.

Fue apenas el soplo del viento que cruza una habitación, un escalofrío que recorre la espalda y se queda allí, persistente, haciendo temblar las costillas. Más allá de las velas, *algo* avanzó desde el dormitorio. No me asusté, pero la emoción superó lo permisible... Cuando recobré el conocimiento, la casa estaba a oscuras. El aroma de las flores era tan fuerte que me mareó. Supe con seguridad que él había venido porque las ventanas continuaban cerradas y ninguna corriente de aire habría podido apagar las velas, que ni siquiera humeaban cuando empecé a quitarlas.

23 DE NOVIEMBRE

He vuelto a leer *La tempestad.* Tal vez Shakespeare tenga razón: «*... somos esa sustancia de que están hechos los sueños...*». Si eso es cierto, no puedes haber muerto, porque yo estoy viva y te sigo soñando. Dondequiera que te encuentres, ¿recuerdas tu promesa?: «Si uno de los dos muere primero, tratará de comunicarse con el otro...». Estás obligado a permanecer mientras una sola persona te recuerde. ¿Me oyes? Recuerda que he roto el cordón del teléfono. Los alambres terminan en un punto conectado con la nada. La línea permanece abierta, solo para ti.

28 DE NOVIEMBRE

Vivo asustada. Quizás a punto de enloquecer.

Anoche desperté de madrugada. No me atreví a mirar el reloj, aunque supongo que serían las tres o las cuatro. Por un momento, traté de descubrir qué me había sobresaltado. No se oía nada. ¿O sí? Una respiración muy tenue latía desde algún sitio. Al principio pensé que provenía de un rincón cercano a la cama, pero no. Aquello goteaba encima de mi rostro, como si su dueño flotara sobre el lecho. Mi terror fue tan grande que no me moví. Oculté el rostro bajo la sábana, y así permanecí hasta el amanecer.

6 DE DICIEMBRE

Son las nueve de la noche. Por la tarde entró un frente frío. El viento y la lluvia golpean las ventanas. La ciudad se ha guarecido bajo mil techos diferentes. Hay soledad en las calles. Solo gente muy osada, y algunos animales, transitan a cielo abierto. Yo escucho el silbido de la tormenta invernal y espero.

11 DE DICIEMBRE

Durante el día me aterra pensar en fantasmas; pero al caer la noche, aguardo la llegada de tu espectro.

Ahora son las cinco de la mañana: una hora tan indefinida que no sé si sentirme horrorizada o eufórica por lo ocurrido. Hace unos minutos, dormía. Tuve algún sueño que ahora no recuerdo. A mi mente vienen manos, bocas, cuerpos que reptan sobre el mío. Alguien me obliga a permanecer boca arriba, con las piernas abiertas, mientras sus dedos —¿o sus labios?— palpan lugares remotos. Yo estoy asustada, pero al mismo tiempo me excito cada vez más. Manos invisibles me sujetan y no puedo ver nada. Labios en mi cuello, en mis pechos, entre mis muslos... De pronto desperté. El orgasmo fue tan violento que estuve temblando cerca de dos minutos. Pero eso no fue lo peor. La ropa con que me había acostado se hallaba en el piso. Y yo jamás duermo desnuda.

17 DE DICIEMBRE
Los técnicos vinieron a arreglar el teléfono, avisados por Rosa. Cuando se marcharon, volví a arrancar el cable que lo ataba a la pared.

Amor mío, la línea sigue abierta. Puedes llamar cuando quieras.

21 DE DICIEMBRE
Rosa cree que estoy loca. Y todo porque cerré las ventanas y corrí las cortinas. Como si no hiciera ya suficiente frío. Además, la luz me molesta. Casi sonreí cuando vi su expresión frente al cable destrozado. Parecía haber visto un cadáver.

28 DE DICIEMBRE
Decididamente no puedo concentrarme. Es la tercera vez que empiezo la lectura y no logro aprehender la atmósfera. No es culpa de Shakespeare, sino mía. Amor. Amor. Amor... Repito la palabra, y su sentido es materia inerte y desgastada. Hace tiempo, antes de que partieras, el mundo estrenaba un rostro nuevo cada día. Ahora las tardes se arrastran como peces moribundos en el barro.

Hoy la casa huele a flores: aroma de vida y muerte, brote de quien nace y procesión del que se va. Mi cama se cubre de pétalos; también el piso y los muebles. ¿Estaré loca? Si amar es alienarse, entonces lo estoy.

3 DE ENERO
Ayer olvidé regar mis macetas. Las plantas se mecen como aves enjauladas. Mis dedos tiemblan cuando evoco el limpio terciopelo de las hojas; un roce tan blando como las manos de mi amante... Si respiro con fuerza, palpo el olor

a lavanda que destilaba su cuerpo. Él siempre se divertía con aquella historia sobre el sudor de Alejandro Magno: sus amantes afirmaban que olía a violetas. Claro, yo le explicaba que un hombre con sudor a violetas hubiera sido un derroche en nuestros días. Eso estaba bien para otras épocas, cuando los poetas y las mujeres apreciaban mejor esas cosas. Ahora debía conformarse con su pálido aroma a lavanda, después de hacer el amor.

6 DE ENERO

Hoy hace seis meses. Y no puedo olvidarte.

Hace dos horas leía viejos textos de mi adolescencia —poemas, cuentos, frases olvidadas— como un conjuro que atrajera de nuevo el comienzo del amor. Cerré los ojos. Casi oí de nuevo tu risa, muy lejana, proveniente de la calle; tus pasos subiendo los escalones de dos en dos, el tintineo de la llave al abrir la puerta y tu deslizar furtivo hasta la terraza... No quise abrir los ojos; temí malograr tu presencia. ¿Estabas ahí? Me llegó tu perfume: un vaho cálido y, a la vez, helado, sobre mis labios; el roce de unos dedos tímidos. Y la falda subió, dejándome al descubierto los muslos. Una mano apartó el escote de la blusa. Me excitó la idea de ser observada mientras fingía dormir, y estuve a punto de gritar que no esperaras más...

Abrí los ojos, sobresaltada, y miré en torno. Estaba sola. Soñaba.

Entonces noté mi falda en desorden y los botones abiertos de mi blusa. ¿Soñaba?

8 DE ENERO

Mi confusión es enorme. Me doy cuenta de que he escrito todo esto para aclarar mis ideas. Tal vez no sé distinguir entre fantasía y realidad. Creo que eso tiene un nombre: esquizofrenia. Pero ¿puede un loco pensar que está loco?

El timbre del teléfono ha comenzado a sonar. Prefiero hacer como si no lo oyera; ignorarlo como a todos mis sueños. No quiero hacerme ilusiones, pero vuelvo a recordar la imagen de mis muslos, expuestos al rubor de la tarde, y mi blusa abierta. ¿Soñaba?

El teléfono ronronea a intervalos rítmicos, una y otra vez, sin pausa ni prisas. Y sigue llamando débilmente desde algún sitio, más allá del cable roto. Me parece que voy a contestar.

La joya

A Pepe Rafart,
porque sus joyas destilan sueños.

Era una criatura encantadora. Todos se volvían a mirarla: los hombres, fascinados por cierta aura de sensualidad que presentían accesible solo para algún elegido; y las mujeres, acuciadas por un sentimiento inquietante y lleno de ideas equívocas, donde se entremezclaban el «quisiera ser así» con el ambiguo «si yo fuera hombre, me enamoraría de ella».

Sin embargo, no fueron sus facciones, ni sus cabellos negros, ni siquiera su porte elegante que parecía desafiar la vulgaridad general de los transeúntes, lo que llamó la atención del orfebre. La belleza femenina no constituía un atributo distintivo para quien había visto desfilar a las más hermosas modelos llevando con orgullo sus alhajas: pendientes de topacio en forma de lágrimas, sortijas de coral negro, brazaletes serpentarios con ojos esmeraldinos, broches erizados de esos extraños rubíes purpúreos de Tailandia y otras prendas exóticas que las damas más ricas solían disputarse con placer... Sobre todo porque el joyero, usando un antiguo secreto de los alquimistas, había logrado transmitir una rara vitalidad a las joyas, y estas ejercían un atractivo imposible de eludir.

A lo largo de su vida, Tibaldo desarrolló un sentido estético muy especial y solamente una cosa llamaba su atención: la tersa y marfilínea curva de un cuello. Poseía su propio ideal de belleza, pero ese ideal solo existía en una antigua escultura: el milenario busto de Nefertiti. Se hubiera enamorado al instante de la mujer que poseyera un cuello así, pero nunca la encontró. Ahora, al cabo de tantos años, tenía ante sí la mejor prueba de la reencarnación.

La vio pasar junto a él, feérica y letal. Casi se olvidó de seguir respirando y apenas advirtió las protestas de los transeúntes ante la presencia de aquel hombre que, en lugar de hacerse a un lado, interrumpía el paso de todos. Pero Tibaldo no podía apartar su mirada de semejante portento. A pocos pasos de él, esbelto y con lenta majestad, se alejaba el cuello de la reina egipcia.

Aquella zona de la ciudad bullía de gentes que transitaban como una marea vertiginosa, entrando y saliendo de comercios y tiendas. Por suerte, ella no parecía tener prisa, y su andar pausado le permitió al hombre mantenerse cerca.

Después de caminar por varias callejuelas, la vio atravesar un portón enorme que se abría al calor del mediodía. La siguió a través de un pasillo largo y húmedo, subió unas escaleras y, al final, se detuvo frente al umbral de una puerta. Oculto entre las sombras, el orfebre aguardó a que desapareciera tras la vetusta hoja de madera. Entonces se quedó allí, colmado de dudas. ¿Qué decisión debería tomar? ¿Tendría valor suficiente para decirle lo que buscaba? Estaba convencido de que lo tomaría por un loco.

Con gesto inconsciente metió su mano en un bolsillo y acarició el objeto que, desde hacía años, lo acompañaba a todas partes. Tibaldo lo consideraba una especie de talismán. Se lo había regalado un cliente agradecido, después de que el joyero le entregara una pulsera con la que conquistó a una bailarina que había perseguido sin éxito por varias ciudades de América y Europa.

Tibaldo sacó aquel objeto a la luz. La perla negra palpitó con el hálito de una vida soterrada que se había ido imprimiendo en sus entrañas. Sin saberlo, el joyero le había otorgado un poder que solo le fue revelado por una gitana en una feria: *Esta perla no es una perla, sino una trampa donde ha caído tu alma.* Y él se había marchado convencido de aquel vaticinio.

Ahora sintió que llegaba el momento de lograr su más antiguo deseo. Pero la cercanía del milagro lo dejaba mudo e inerme. Por primera vez en muchos años, no era dueño de sí.

Sumergió la perla en las profundidades de su bolsillo y avanzó en la oscuridad. Tocó. Hubo un silencio interminable antes de que unos pasos se acercaran sin prisa.

—¿Quién es?

Se decidió:

—Me llamo Tibaldo. Soy orfebre.

—Yo no encargué nada —repuso la voz.

Tibaldo retuvo el aliento. ¿Sería su imaginación o ella habría dejado escapar un suspiro?

—Vengo a proponerle un negocio.

Tras la puerta cerrada, el hombre creyó percibir una tensión donde se mezclaban la curiosidad y el recelo. Por fin la hoja se entreabrió. Unos ojos enormes y amarillos, que podrían denotar la presencia de algún antepasado felino, auscultaron su rostro con fijeza.

—No tengo dinero para comprar —la frase revelaba cautela.

—No traigo intenciones de vender.

La mujer arqueó una ceja.

—¿Cómo puede hacerse un negocio entre alguien que no va a vender y una persona que no puede comprar?

—Si pudiera sentarme, se lo explicaría mejor.

Ella dudó.

—No tiene por qué temer —insistió él—. Como ve, estoy solo... Y soy tan débil como aparento.

Se apartó para dejarlo entrar.

—No dispongo de mucho tiempo —le dijo ella, mientras lo guiaba hasta una especie de sala-biblioteca.

Tibaldo reparó en los adornos orientales que colmaban la casa: figuras de animales talladas en marfil, un enorme buda de piedra, grabados eróticos japoneses, una colección de broches antiguos, esculturas de jade y lapislázuli, diminutos barcos funerarios, un enorme paraván de maderas preciosas y adornado con decenas de siluetas humanas...

—Perteneció a la familia de mi madre —dijo ella, al notar su mirada—. Mi abuelo materno fue catalán y se casó con una marroquí. La familia de mi abuela había llegado a Marruecos, desde Alejandría, dos generaciones antes.

—Egipto —murmuró él, con la vista clavada en un conocido busto femenino que acababa de descubrir junto a los libros.

Ella aguardó a que el extraño y tembloroso personaje terminara su escrutinio.

—Soy orfebre.

—Ya me lo dijo.

El hombre tragó en seco.

—Me dedico a fabricar joyas.

—Sé perfectamente en qué consiste su oficio.

—Muy bien, solo le pido que me deje hablar hasta el final.

—Lo escucho.

—He llegado a una etapa de mi vida en que no me interesan las ganancias, sino el logro de un ideal. He trabajado las piedras y los metales más costosos; acumulé algún dinero que me alcanzará para vivir el resto de mis días. Durante todo ese tiempo, también guardé los materiales con los cuales he pensado crear mi Obra. No hablo de una simple alhaja que pueda calificarse de maravillosa. Me refiero a una joya especial, cuya belleza solo tendría sentido si adornara el cuello más hermoso del mundo —tomó aire para decir la frase decisiva—: Si usted no accede a mi ruego, esa joya única jamás será creada.

El rostro de la mujer no reflejaba asombro ni desconfianza, apenas un poco de curiosidad.

—No entiendo muy bien lo que pretende.

—Quiero que sea mi modelo.

—¿Por qué yo? Los collares no requieren de una medida especial. Cualquier persona podría servirle.

—La joya que pretendo hacer es diferente. Necesito ajustarla al cuello con toda precisión, y trabajar a partir de ahí... Tendrá que posar desnuda.

Los ojos de la desconocida lanzaron reflejos verdosos.

—Lo siento. Yo no...

—Aún no le he dicho lo mejor: esa alhaja será suya. Voy a regalársela y no le costará nada.

La mujer quedó pensativa. Una joya es siempre una joya, y hay pocas mujeres que se resistan a semejante tentación. Imaginó el brillo de las piedras sobre su piel, como un manto de escarcha dorada que le cubriría el cuerpo.

El orfebre la observaba con visible nerviosismo. Y de pronto ella hizo algo inesperado: sonrió.

—¿Cuándo empezamos?

—Mañana —Tibaldo aún no lo creía—. Y tendrá que ser en mi casa; allí tengo mis herramientas.

—·—

En un rincón del taller, el orfebre había colocado un diván sobre el cual arrojó una gran pieza de terciopelo negro para que su modelo yaciera o se reclinara, según lo requiriera el trabajo.

Ella acudió puntual desde el primer día. Él trabajaba febril, olvidándose de comer y, a veces, de dormir. Poco a poco comenzó a dar forma al collar. La plata y el oro se fueron alternando en caprichosos arabescos; se entretejían a partir del cuello y bajaban hasta combarse bajo los senos perlados que parecían abrirse como capullos en las puntas cubiertas por rubíes. Un enramado argénteo descendía a lo largo del abdomen. Guirnaldas de plata confluían hacia un cinturón de titanio. De aquella faja brotaban múltiples garfios que culminaban en puñados de piedras lunares. Por el vientre liso se encrespaban las ramas de aquel adorno espectacular: del ceñidor nacían dos tentáculos que se enroscaban entre los muslos, avanzaban por debajo de la pelvis, y volvían a resurgir bajo montes de nieve. Allí se transformaban en colmillos de lustroso coral negro que se hincaban delicada, aunque dolorosamente, en la tersa carne de las nalgas.

La mujer se quejaba algunas veces, mientras el viejo iba ajustando cada pieza con el mismo cuidado de un frágil mecanismo de relojería.

—No se mueva, por favor —recomendaba él—. ¿Qué significa una pequeña molestia comparada con el placer de llevar la joya más rara y perfecta jamás creada por el hombre?

Y ella se mordía los labios, dispuesta a sacrificarse.

Una noche sin luna, Tibaldo le anunció que colocaría la pieza final: un cierre de ámbar enchapado en oro blanco. Quedaría suspendido en mitad de la espalda, con el fin de sellar la unión entre las guirnaldas que colgaban de los hombros y aquellas que trepaban desde el cinturón. Tenía la forma de un raro narciso; o quizás pareciera una estrella de mar. En su centro había una especie de pupila negra. La mujer quiso verlo en detalle y él colocó el cierre en la palma de su mano.

—¿Qué piedra es esa? —preguntó fascinada ante aquel ojo siniestro que fulguraba en las tinieblas.

—Es una perla negra. La guardé especialmente para mi Obra.

—Una perla negra —repitió la mujer—. En la India se consideran fatales.

—Supersticiones —dijo Tibaldo, tomando el broche con súbita premura—. Vamos, ha llegado el momento.

El cierre fue colocado en el centro de la dúctil curvatura de la espalda, y ella caminó hasta el enorme espejo que descansaba en un marco móvil. Su piel blanquísima la hizo parecer un espectro fosforescente moviéndose por la habitación.

En ese instante, un rayo de luna penetró por la ventana y se reflejó en el inmenso ojo de la perla. La mujer se estremeció cuando la joya comenzó a adherirse a su cuerpo. Paulatinamente, aquella malla lujosa fue estrechando su abrazo de culebra en torno a la presa. Garfios de oro se clavaron en sus pechos, que ahora fueron vorazmente succionados por unos labios fríos de lo que momentos antes fueran rubíes; filigranas vegetales abrieron sus muslos, preparando el camino para una violación monstruosa; y una voluta plateada, de contornos gaudianos, se inflamó hasta penetrar en su vulva. La joya se había transformado en una bestia ondulante, que latía feroz y lascivamente con apetito primigenio.

El rostro de Tibaldo reflejaba un placer indecible.

—Lo he conseguido —murmuró.

La mujer se reclinó sobre el manto de terciopelo, incapaz de resistirse al reclamo voluptuoso de la prenda; y él contempló con deleite a aquella criatura que ahora gemía como una gata en celo.

Había dado vida a la joya y Nefertiti sería suya para siempre.

Vida secreta de una mujer-loba

Lo primero es la noche.

Sentir palpitar en la carne los instintos que regresan —una canción tan antigua como el caos de la vida. Cada músculo late a la par de las estrellas que profanan la oscuridad.

Levanto mi cuello y suspiro. Quiero festejar la llegada del Poder, y mi voz hiere las sombras. Así surgen los terrores de aquellos que no me conocen. Escuchan el largo aullido y no ven más que sus miedos. Pero yo, que milito en el bando de los prófugos, juego a esconderme en el desierto. Allí medito el recuerdo de otras vidas que conocí. En cada una de ellas fortifiqué mi espíritu con el hambre y el banquete, el dolor y el placer. Y ahora tengo el privilegio de mutar, noche tras noche, en la soledad de estos sitios sagrados.

Cualquiera podría hacerlo; cualquiera que fuese capaz de aprovechar sus impulsos, de olfatear su naturaleza, de no calcular sus pasos siguiendo el olor de la manada... Así he logrado ser libre.

Soy un ánima vagabunda que no soporta el gentío ni la sordidez de lo cotidiano. Otras me siguen. Otras más quisieran seguirme. Buscan conocer mi secreto, pero no hay fórmulas estrictas; solo algunas instrucciones que pude averiguar mientras dormía, una noche como esta hace mil años.

Es cierto que el instante de la revelación llega después de mucho tiempo, porque el alma se prepara para recibir su anuncio sin que la conciencia lo sepa. Es un proceso misterioso. Llega de pronto como un súbito fogonazo que deja la mente deslumbrada...

Y eso es lo primero que el discípulo debe conocer: cómo fulgurar en las tinieblas, cómo expandirse en la aberrante penumbra hasta alcanzar el goce. Porque somos criaturas solitarias, seres de existencia prohibida que debemos subsistir en las sombras hasta el brote del Poder. La ausencia de luz nos eclipsa ante ojos enemigos, mientras los sentimientos se expanden en secreto.

Ahora ya es posible prepararse para el siguiente paso que entraña cierto riesgo.

Lo segundo es el lugar.

Una fusión perfecta entre el ambiente y los ritos. La zona debe conservarse tranquila. No importa mucho el entorno, siempre que una se asegure de no ser molestada. Debe mantenerse un estado absoluto de relajación, mientras se contemplan pasivamente los alrededores.

Durante varios días se llevará a cabo este ritual. Nada más debe hacerse, excepto limitarse a observar de dónde sopla el viento, cuándo sale la luna, cuántas ramas se quiebran. Todo ello sin dejar de respirar, no solo por la nariz, sino también por los poros; porque una loba, como cualquiera sabe, debe ser capaz de conocer a través de su olfato y de su instinto.

Respirar a través de los poros no es tan difícil. Si en principio una imagina que *puede* hacerlo, al cabo de algún tiempo lo logrará realmente. El aire penetra a través de la epidermis y suple la carestía de algo que siempre ha faltado. Es la oportunidad de ser, de concebir, de entregar aquello que surge de nuestra propia naturaleza. Es la expansión de los sentidos; es sacudirse una languidez que ya duraba años y era el mayor impedimento para la transformación.

De pronto parecerá como si el mundo saltara de miedo al oír los aullidos: una hembra que acecha en parajes umbríos, consciente de su fuerza y sus opciones, no es algo con lo cual se tropiece todos los días. Por eso el lugar que se elige es vital.

El retiro es el mejor aliado para llevar a cabo las rebeliones discretas. Y no importa que alguien se burle de tan callado afán. No importa que debamos permanecer ocultas tras la llegada del sol. A fin de cuentas, todo albedrío furtivo sigue siendo albedrío.

Lo tercero es la pasión.

Presentir las fases de la luna, descifrar los signos del silencio, conocer la intensidad de una tormenta que se aproxima: no es posible completar la metamorfosis sin una posesión completa de cada sentido.

Y hace falta el estallido de la fe. Así soy capaz de augurios y portentos, compongo milagros, recito prodigios... No podría hacer nada de esto sin la vehemencia que brota como un manantial afiebrado de mi alma. Y cuando veo por fin la luna, después de cumplir el ciclo de los sortilegios, se adueña de mí un deseo que mi voluntad no logra desechar.

Doy un salto en el vacío desde un saliente rocoso y caigo sobre un lecho de hierbas por donde corro a campo traviesa. El aire besa mi piel desnuda y susurra en mis orejas el canto antiguo de una maldición. No lo oigo. No quiero oírlo. Ya no me resisto a mis impulsos y trepo a las altas colinas. Desde allí diviso a la manada que sigue las huellas de su especie. Aúllo con todas mis fuerzas porque espero que alguien comprenda, pero es muy tarde para ellos.

Doy la espalda y huyo en dirección opuesta. Ahora una luz de plata baña la llanura y husmea entre las ramas negras. Solo mi sombra me acompaña.

Mi olfato, o quizás mi instinto, me advierte de otra presencia más allá del páramo en tinieblas. Es él: un hombre a solas con su miedo. Intuyo sus recelos en la escapada clandestina con que pretende alejarse, pero yo lo persigo con maña. Inicio un rodeo hasta la senda por la que oigo sus pasos. Ya llega. Se detiene al verme. Lo hace con tanta violencia como si hubiera chocado contra un muro de cristal. Adivino su terror, aumentado por esas historias de seres-lobos que, según cuentan, inculcaban en sus presas el virus de la mutación...

Sus gestos se han congelado. Parece resignarse a su destino. Y entonces salto sin darle tiempo a comprender. No advierte que mi silueta es más frágil que la de esos licántropos-machos a los que aluden las leyendas. No ha notado mis maneras suaves, mi porte apacible, mis garras sin filo... Se ha quedado espantado e inmóvil, temblando bajo la luna, antes de saber que me he ido, llevándome solo el misterio.

El pájaro de fuego

Algunos dicen que soy fría, que la lluvia se transforma en granizo cuando me toca; pero ese rumor es resultado de mi engañosa apariencia. Por dentro ardo con un deseo que nace de lugares recónditos y secretos. Apenas puedo tocarme, porque temo que el aire nocturno se convierta en vapor sobre mi piel. Incluso la luz parece adquirir una consistencia ígnea cuando me roza. Mi abuela francesa, que fue algo bruja, solía decir que en el horóscopo tibetano yo era un pájaro de fuego. Y nunca pude desechar la idea de que había cierta predestinación en sus palabras.

Esta noche iré otra vez a buscarlo. Antes de bajar, me contemplo en el espejo y cuido hasta el más mínimo detalle de mi persona: el broche recogiendo los cabellos, mi rostro perfectamente maquillado, y una rosa. Abandono el dormitorio con paso rápido, pero el gato me detiene durante un momento. Es la única criatura que me demuestra su afecto; la única que no huye de mí, ni se comporta como si yo padeciera de un mal incurable.

El reloj del descansillo mueve sus piezas, preparándose para sonar. Voy pisando los escalones, sin olvidar la expresión de serenidad que engañará a todos. Cuando llego, me parece oír un susurro en la terraza del fondo.

La alfombra apaga el rumor de mis pies. Por eso ninguno de los dos me ha sentido llegar. Casi de perfil, contemplo al hombre que me dio hogar y afecto desde que murieran mis padres, que veló por mí durante años mientras yo aguardaba el día en que nos casaríamos. No logro escuchar sus palabras porque el viento de la noche crece como un vendaval. Junto a él, hay un joven. Recuerdo haberlo visto dos o tres veces en algunas de nuestras fiestas; pero nunca antes le presté atención. Existe un extraño aire de familiaridad entre ambos. Lo adivino por la forma en que sonríen. Percibo frases raras, vocablos de un código que no alcanzo a entender. La escena me fascina y, a la vez, me aturde. Solo capto dos o tres promesas: «...Tendré que irme después de la boda... Estoy harto... No puedo fingir más...» Y se besan. Mi amado besa a aquel joven como otras veces me ha besado a mí.

No puedo evitar la impresión de un gran mareo, como si el mundo hubiera enloquecido. La rosa que llevaba en mi atuendo cae el suelo. Poco a poco retrocedo hasta el comedor, cercano a la cocina. Junto al fogón donde crepita la leña está el aceite para las lámparas.

Semejante a un eco, me llega el sonido del reloj que despierta.

La hoguera arde en su encierro de ladrillos con lujuria febril. Y vuelvo a escuchar: «Estoy harto... harto...». No sé cómo ha sido. La lumbre se ha prendido de mis ropas y tengo una lámpara en las manos. Oigo gritos: los míos. Aullidos de mujer furiosa y traicionada que devoran la noche. Atravieso enloquecida la galería. Salgo al exterior y corro a campo abierto convertida en una brasa, en un duende, en un pájaro de fuego.

Cuando miro atrás, la casa es un sitio en ruinas que aparenta un abandono de siglos. Varios desconocidos, vestidos con ropas extravagantes, me contemplan espantados... Entonces acerco mis manos al rostro y me doy cuenta de que puedo ver el mundo a través de ellas. Ahora lo recuerdo todo. Las llamas me cubren totalmente, pero no percibo dolor alguno. Hace más de cien años que dejé de sentir.

Las amantes
(Acto único)

Personajes:

Lilith, primera mujer de Adán.

Eva, segunda mujer de Adán.

El escenario, en penumbras, es una cueva espaciosa con un amplio diván cubierto de velos, situado en un rincón bien visible. Junto a él, hay una puerta. Al otro extremo, una cómoda con espejo y banqueta. Sobre el mueble, innumerables útiles de belleza. Al fondo, una mesa con dos sillas y un aparador.

Cuando el público comienza a entrar en la sala, ya Lilith está sentada frente al espejo, maquillándose a telón abierto. El vestuario de las actrices evoca la Grecia antigua.

Tocan a la puerta.

Lilith. ¡Un momento! *(Sigue retocándose hasta que el toque se repite)*. ¡Ya va! *(Termina su arreglo)*. ¡Dios mío! ¿Quién será a esta hora?

Cruza la habitación y abre la puerta. Se queda tan sorprendida que permanece muda e inmóvil.

Eva. ¿No me invitas a pasar?

Lilith. Perdona, Eva. Es que me imaginé a cualquiera, menos a ti.

EVA. *(Cruza la habitación sin que la inviten).* ¿Dónde está?

LILITH. ¿Quién?

EVA. No te hagas la ingenua.

LILITH. *(Va de nuevo hacia la cómoda).* Si viniste buscando a quien me imagino, te equivocaste de lugar.

EVA. Decir mentiras es pecado.

LILITH. *(Se sienta ante el espejo).* Ay, Eva, no vengas a hablarme del pecado.

EVA. Y tú no te atrevas a insultarme, Lilith. No soy ninguna idiota.

LILITH. Te aseguro que no he visto a ese tipo desde hace tres años.

EVA. ¿Ese tipo? ¿Ahora ni siquiera lo llamas por su nombre?

LILITH. *(Resignada).* Te juro que no he vuelto a ver Adán desde que se marchó, hace tres años.

EVA. Querrás decir desde que tú lo abandonaste.

LILITH. *(Mientras comprueba su maquillaje en el espejo).* A él siempre le gustó hacerse la víctima. Mi marido tenía la costumbre de...

EVA. El mío.

LILITH. *(Se vuelve a medias).* ¿Cómo?

EVA. Querrás decir mi marido.

LILITH. *(Deja lo que está haciendo y presta toda su atención a la otra).* Vamos a hablar con propiedad, Eva. El que fue mi marido *antes* de ser tuyo, tenía vocación de mártir y alma de tirano. Le encantaba que lo creyeran un santo, un apóstol, un… un infeliz inocente que me culpaba de todos sus infortunios, pero la verdad es que no me dejaba vivir.

EVA. ¿Y ahora quién se hace la víctima?

LILITH. ¡No me hago la nada! Se pasaba todo el santo día vigilando mis pasos. Si me ponía a limpiar la casa, exigía que quedara como un crisol. Si me daba por escribir poemas, quería saber si estaba pensando en otro... ¿Sabes con quién llegó a celarme? ¡Con el mismísimo ángel del Señor!

EVA. ¿Con cuál de ellos?

LILITH. ¿Cuál te imaginas tú?

EVA. ¿Ese que...? *(Hace un gesto indefinido, que puede significar cualquier cosa).*

LILITH. El mismo que viste y calza.

EVA. Bueno, no es para menos. Gabriel tiene unos muslos que son una bendición. *(Confidencial)*. Yo creo que en otra vida fue campeón de remo.

LILITH. No me había fijado. Cada vez que me lo tropiezo, la vista se me va para el bendito trasero. *(Inspirada)*. ¿Has visto qué perfección? ¡Pero con ese, ni soñarlo! Ya sabes cómo son casi todos los ángeles. Igualitos que los hombres. O ya están casados o son...

EVA. ¿Y dónde está él ahora?

LILITH. ¿Quién? ¿Gabriel?

EVA. No, mi marido.

LILITH. Me lo imaginé. *(Se vuelve hacia el espejo para mirarse las cejas)*. ¡Qué tipo!

EVA. ¿Qué dijiste?

LILITH: Ya se fue con otra, ¿verdad?

EVA. Si se fue con otra, debe haber sido contigo.

LILITH. ¡Y dale con lo mismo! ¿Quién te ha metido esa idea en la cabeza?

EVA. Nadie me ha metido nada, pero estoy segura de que tuvo que haber venido a buscarte. Últimamente no hacía más que hablar de ti. *(Imitándolo con rabia)*. Que si Lilith era así, que si era asao; que si le gustaba esto, que si le gustaba aquello...

LILITH. *(Soñadora).* Entonces todavía se acuerda...

EVA. ¡Claro que se acuerda!

LILITH. *(Con un gesto de desdeño).* ¿Qué sabes tú? *(Preocupada).* Él no te habrá contado, ¿no?

EVA. ¿Contarme? *(Haciéndose la inocente).* ¿Sobre qué?

LILITH. Sobre... Sobre nosotros.

EVA. ¿Crees que iba a tener secretos conmigo? *(Maligna).* Claro que sí.

LILITH. ¿Y qué fue lo que te dijo?

EVA. *(Sádica).* ¡Todo!

LILITH. No puede habértelo dicho todo. ¿A qué te refieres?

EVA. Por ejemplo, tus ensayos como espía con la cortina de baño, el juego del armario... Hasta me contó aquello de los disfraces.

LILITH. ¡Hijo de mala madre!

EVA. Y también me habló de las historias.

LILITH. ¿Las historias?

EVA. Sí, los cambios de papeles.

LILITH. Era solo un juego.

EVA. Pero tan divertido...

LILITH. ¿Tú qué sabes? Eran chiquilladas.

EVA. Bueno, él me enseñó algunos. *(Con modestia)*. Y yo añadí otros de mi cosecha.

LILITH. Viejo corruptor de menores.

EVA. No ofendas a mi marido.

LILITH. Es el mío también.

EVA. No tienes ningún derecho a llamarlo corruptor.

LILITH. Sé bien lo que estoy diciendo.

EVA. Y después de lo que me enteré, tienes menos moral que ninguna. So... so Lolita.

LILITH. ¿Lolita yo?

EVA. Tú le enseñaste a pecar. Lo alejaste de la prudencia...

LILITH. ¡Miren quién habla!

EVA. Le robaste su prudencia, su cordura, sus valores éticos...

LILITH. ¿Sus valores éticos? *(Se ríe histérica y avanza hacia la otra).* ¿Cuáles valores éticos? No tenía ninguno cuando yo lo conocí.

EVA. Eres un demonio, Lilith.

LILITH. *(Irónica).* ¡Vaya noticia!

EVA. Una intrigante, una serpiente...

LILITH. *(Burlona).* Y tú, mi querida Eva, una inocente pecadora.

EVA. ¡No me toques!

LILITH. ¿Qué te pasa? ¿Tienes miedo de contagiarte?...

Eva va hacia el espejo, sin poder disimular su nerviosismo. Hace como que se retoca las pestañas, mojándose los dedos en saliva.

LILITH. No te quedes callada. ¿Se te acabaron los insultos?

EVA. *(Sobreponiéndose).* Existen hechos para los que no hay palabras. Cuando recuerdo las cosas que me contó... Todas esas juergas. O quizás debiera decir orgías...

LILITH. No eran orgías. Nuestros juegos siempre fueron en privado. *(Malévola, y para mortificar a la otra).* Nosotros dos solitos.

EVA. Da lo mismo. Eran... perversiones.

LILITH. Ahora resulta que estás celosa.

EVA. No se trata de celos.

LILITH. *(Casi con pena).* ¡Ay, Eva! No sé por qué insistes en buscarlo. No vale la pena.

EVA. ¿Me juras que él no está aquí?

LILITH. *(Besa sus dedos en cruz).* ¡Por esta!

EVA. No lo entiendo. ¿Dónde puede haberse metido ese sinvergüenza?

LILITH. Andará por ahí, detrás de cualquier pelandruja.

EVA. *(Suspira).* Es posible. Últimamente se comportaba como un maniático. Ahora resulta que las hojas de parra lo sacan de quicio, y mientras más chiquitas, mejor.

LILITH. No quiero que te disgustes por lo que voy a decirte, pero tú tuviste la culpa.

EVA. Pues no me arrepiento de lo que hice.

LILITH. No deberías hablar así, Eva. *(Con sorna).* Es pecado.

EVA. ¡No me hables más del pecado! Hice lo que hice porque el otro viejo déspota pretendía que yo siguiera siendo una ignorante.

LILITH. *(En susurros, asustada).* ¡Cállate, que te va a oír!

EVA. ¡Qué me oiga! Puso el puñetero árbol en mis narices y me advirtió que dejara tranquilos los frutos. Yo lo obedecí hasta que empezaron a caerse... Dime una cosa, Lilith, ¿para qué sirve una sabiduría que se pudre en el suelo?

LILITH. Ya lo sé, tienes razón. Yo también me lo he preguntado. A veces creo que lo hizo a propósito.

EVA. ¿Qué cosa?

LILITH. Hablarles sobre el árbol y luego dejarlo sin custodio.

EVA. ¿Quieres decir que Él quiso que yo hiciera lo que hice?

LILITH. Él podrá ser caprichoso y gruñón y muchas otras cosas, pero no es ningún tonto. Si de veras no hubiera querido que robaras los frutos, habría puesto el dichoso árbol en otro sitio.

EVA. ¿Y para qué haría semejante cosa?

LILITH. Porque en el fondo nos quiere más a nosotras que a ellos. Para asegurarse de que tú, yo y el resto de nosotras consiguiéramos la mejor parte. ¿No te das cuenta? Ese castigo ha sido nuestra bendición.

EVA. No veo cómo. El viejo también se lo advirtió a él y sin embargo...

LILITH. Sin embargo, fuiste tú quien tomó la iniciativa. Mi marido, es decir, el tuyo, o más bien, el nuestro, apenas probó el fruto. El viejo ya conocía su obsesión por las leyes y su falta de tolerancia. Adán no tiene la menor dosis de paciencia. Por eso se pasa la vida peleándose con sus vecinos. El viejo debió de prever lo que ocurriría.

EVA. No estoy muy segura de lo que quieres decir. Creo que mi comportamiento fue poco prudente.

LILITH. Querida mía, la prudencia es una cualidad más habitual en ti que en ese desquiciado que reparte sus obsesiones entre el poder y el trasero de una mujer... aunque lamentablemente cada día le presta más atención al primero, con lo cual el mundo va de mal en peor.

EVA. Pero recuerda que él ha inventado...

LILITH. Ya sé, un montón de aparaticos que no carecen de cierto encanto... A eso dedica su tiempo libre, cuando no está dándose porrazos con el vecino o mirándonos las piernas. Es su único consuelo para olvidarse del trauma.

EVA. ¿Cuál trauma?

LILITH. Nuestro querido varón no puede parir. Así es que se ha dedicado a fabricar todo tipo de artefactos. Les pone patas o ruedas para que caminen; les añade timbres, matracas o cualquier tipo de ruidos, para dar la impresión de que hablan; les enseña a sacar cuentas, a seleccionar objetos, a buscar cosas perdidas... *(Mira hacia todos lados con sigilo, se acerca a la otra y susurra).* ¿Quieres que te cuente un secreto?

EVA. Bueno.

LILITH. *(En voz baja)*. El viejo me contó que, en un futuro no muy lejano, esa obsesión lo llevará a crear máquinas que funcionen como cerebros.

EVA. ¿Qué sentido tiene eso?

LILITH. No sé, pero parece que esos trastos controlarán muchas cosas.

EVA. ¿Y para qué querrá hacer esa idiotez?

LILITH. ¡Qué sé yo! Pero aquí viene lo peor.

EVA. ¿Hay más?

LILITH. ¿A que no adivinas cómo nuestro genio medirá sus invenciones?

EVA. No tengo idea.

LILITH. Por generaciones... ¿Te das cuenta? ¡Por generaciones! Como si fueran criaturas vivas... Hablará de la primera generación de uno de esos cachivaches, y luego vendrá la segunda, y después la tercera, y así hasta el infinito... Dime que no hay un trauma aquí.

EVA. ¡Qué atrocidad!... ¿Y qué dirá Freud?

LILITH. Por desgracia, nada. Morirá antes de que esos cerebros empiecen a invadirlo todo.

EVA. ¡Qué mala suerte!

LILITH. Eso mismo pensé. Hubiera podido sacar conclusiones más interesantes de eso. En lugar de un «complejo del falo», comprendería que la civilización siempre ha basado sus avances en el «complejo de la vagina».

EVA. *(Pensativa).* Entonces, ¿tú crees que mis actos fueron inducidos por el viejo?

LILITH. Usa tu lógica, cariño. Cargamos con la culpa de un pretendido pecado cuando, en realidad, nos sobra la sabiduría. Eso es lo que nuestro marido no nos perdona: que gracias a ti, ahora tengamos intuición e instinto.

EVA. ¿Y eso de qué nos sirve?

LILITH. El mundo será bastante difícil para nosotras durante un tiempo. Con esas herramientas podremos sobrevivir. Y de paso, nos servirán para fastidiarlos un poco.

EVA. ¿Qué quieres decir?

LILITH. Nunca dejarán de romperse la cabeza, tratando de entender por qué unos tipos tan inteligentes como ellos no pueden entender nuestro comportamiento. Eso los mantendrá ocupados durante muchos milenios, hasta que aprendan —si es que lo hacen algún día— a componer la civilización de otra manera. Si algo conoce el viejo es que tanta agresividad jamás les servirá para resolver los problemas. Es más fácil salir a aporrear al vecino, cuando este te ha hecho algo que no te gusta, que sentarse a pensar de qué manera puedes ganártelo. A menos que Adán y sus hermanos aprendan a usar su instinto maternal hacia otras criaturas, y no hacia las máquinas, terminarán destrozándolo todo.

Eva. ¿A nosotras también?

Lilith. No creo que quieran destruirnos conscientemente. Si lo hacen, será porque destruyeron este mundo con todo lo que hay en él.

Eva. Hablas como si los despreciaras.

Lilith. Todo lo contrario. Me gustan tanto como me enfurece su insistencia por conseguirlo todo a la fuerza... Ternura, y no violencia, es lo que necesita este mundo.

Eva. Eres un ángel, Lilith.

Lilith. Eso no fue lo que dijiste hace un rato.

Eva. Ya lo sé, perdóname.

Lilith. ¿Qué vas a hacer con Adán?

Eva. ¡Que se vaya al diablo ese idiota! ¿Hacemos las paces?

Lilith. Me encantaría... *(La estudia unos segundos).* Te presentaré a un amigo de mi novio. Así podríamos salir juntos los cuatro.

Eva. ¿Tienes novio?

Lilith. ¿Qué te crees? ¿Qué iba a quedarme todo el tiempo llorando como una virgen? *(Se acerca al aparador lleno de platos y comienza a sacar la vajilla).* ¿Por qué no te quedas a comer?

Eva. *(Se pone de pie para ayudarla).* Debiste decirme que tenías novio.

Lilith. No me hubieras creído.

Eva. De todos modos, me alegro que ahora podamos conversar con calma. Estoy loca por preguntarte un montón de cosas.

Lilith. ¿Acerca de qué?

Eva. *(La mira significativamente).* Los juegos.

Lilith. ¿No te contó él bastante?

Eva. Demasiado. Te confieso que durante noches enteras no pude dormir, imaginando cómo te verías con aquel disfraz de...

Lilith. *(Susurrando).* No hables de eso en voz alta.

Eva. *(Toma a Lilith por un brazo, y la lleva hacia el diván).* ¿Aún lo guardas?

Lilith. ¿Qué cosa?

EVA. El disfraz.

LILITH. Yo guardo todos los disfraces.

EVA. ¿También el de sirvienta etrusca?

LILITH. Pues claro. Es uno de mis favoritos.

EVA. ¡Qué maravilla! No sabes cómo te lo he envidiado.

LILITH. ¿Por qué, si no lo has visto?

EVA. Pero él sí. Y me lo describió con lujo de detalles. ¡Tienes que enseñármelo!

LILITH. Está bien.

EVA. ¿Y me lo dejarás probar?

LILITH. Claro

EVA. ¿Lo dices en serio?

LILITH. Por supuesto.

EVA. ¿Y podríamos intentar algún juego?

LILITH. ¿Nosotras dos?

EVA. Sí.

Lilith. ¿Y a qué quieres jugar?

Eva. A todo.

Lilith. ¿Estás segura?

Eva. Llevo meses oyendo hablar de ti.

Lilith. ¿Y si te arrepientes?

Eva. Lo dudo.

Lilith. Bueno, con una condición.

Eva. Dime.

Lilith. Yo me pongo el traje de monja.

Ambas se miran fijamente y las luces del escenario se apagan con lentitud.

Nuestra señora de los ofidios

El primer día sintió un cosquilleo delicioso por todo el cuerpo; se estiró bajo las sábanas y sonrió.

El segundo día, mientras se bañaba, notó un escozor entre los muslos. Al rascarse muy suavemente, con los dedos enjabonados, vio que parte de su piel se desprendía en pequeñas placas semejantes a escamas transparentes. Dejó que el agua se las llevara, adheridas a la espuma, y continuó frotándose un rato más bajo la ducha.

El tercer día se levantó de madrugada para tomar agua. Cuando pasó frente al espejo del comedor, se detuvo. Había algo distinto en su rostro. Palpó sus mejillas, su frente, los contornos de su boca; pero no halló nada. Recorrió con la vista cada mueble reflejado en el cristal, y solo entonces lo supo: veía como si fuera pleno día. Volvió a mirarse, frunciendo el ceño. Sus pupilas se alteraban como las de un gato, y eran altas y largas y culebreantemente estrechas.

—·—

La casa también cambió.

El primer mes, la enredadera empezó a crecer por el borde del muro. Brotaron flores que perfumaron el aire al otro lado de la reja... Al principio pareció que una fertilidad súbita nacía con la llegada del verano, pero se dio cuenta de su error cuando notó que nada modificaba el aspecto de los rosales vecinos.

El segundo mes, la encina del jardín inició un veloz recorrido en dirección a las nubes y sus ramas abrazaron la mansión para protegerla del sol. Cuatro cristales de la terraza cayeron al suelo misteriosamente; y su estrépito fue el quejido de algo que moría.

El tercer mes, los escasos transeúntes que deambulaban por el barrio apenas podían distinguir lo que se ocultaba tras aquella selva crecida en pleno corazón de la ciudad.

—.—

Ella lo vio enseguida. Era alto y, sin duda, escondía un vigor poco usual. Llevaba unos *jeans* de azul dudoso, tenis blancos y pulóver suelto sobre los hombros.

Él la vio después cuando ella se acercó con ese aire desvalido de quien se ha extraviado. Su expresión se le antojó familiar y salvaje al mismo tiempo. No tenía un rostro excepcional, pero le gustaron sus ojos. Mientras le indicaba la dirección, miró con disimulo sus piernas, y él imaginó cómo se verían enroscadas en las suyas, ayudando al movimiento del cuerpo...

Por supuesto, ella adoraba la playa y a él, claro, le encantaba nadar; y este verano había hecho un tiempo tan bueno. Se despidieron con la promesa del martes siguiente. Por la mañana temprano. Si no llovía.

—.—

Esa tarde, paseando bajo las ramas de la encina, ella se dio cuenta del insólito silencio. A lo lejos podía escucharse el distante clamor de los vehículos que transitaban por las avenidas. No, no era eso. Los pájaros. Faltaban los cantos de su melodía vespertina. Podía escuchar la música ligera del canario, el trino del pitirre, el aria fluida del sinsonte... a más de media cuadra.

Las aves habían huido de los alrededores, como si olfatearan algún peligro.

—•—

La playa era roca y líquido y silencio. Se saludaron sonrientes. Hablaron en voz baja para no espantar la brisa. Murmuraron algunos gustos, algunas vivencias, algunos chistes... ¿Pero no vamos a bañarnos? Se lanzaron al agua. Todavía el sol flotaba cerca del horizonte; todavía el mar se mantenía frío. Pero la sangre corría ardorosa bajo la piel viva. Y la unión de dos tibiezas siempre produce calor.

Primero fue la risa. Luego el roce de una mano —o tal vez de una pierna, ¿cómo saberlo?— bajo el agua. El contacto parecido a una caricia; la caricia parecida a un abrazo; el abrazo parecido a una agonía. Y ella recordó el momento de nacer: criatura que flota en el nirvana acuoso, relajante como un orgasmo. El semen entra en la sombra y se convierte en feto; el feto sale a la luz y se convierte en niño. No es posible invertir el proceso: para que algo salga, primero debe entrar. Penetrar, antes de salir. Salir, luego de haber entrado. Una forma ondulatoria golpea el agua como una culebra. Ella aprieta los párpados. Sus músculos se tensan: espalda, piernas, brazos; apenas los siente.

Un grito de terror la devuelve a la realidad. El hombre tira de ella en dirección a la costa, sin apartar su vista de la tranquila superficie del mar.

—•—

Ella abre la verja del jardín y su risa llena la tarde, apagando el final de la historia que él cuenta. ¿Una serpiente marina?, se burla mientras busca la llave en su bolso. ¿No sería el monstruo de Loch Ness? El no pudo saber si era marina o de agua dulce, pero la vio perfectamente: se movía bajo el agua.

Cierran la puerta de la calle.

Si él hubiera estado en tierra, bien; pero no podía luchar en el agua, no era su elemento. Sí, le interrumpe ella, debió ser la pobrecita Nessie. Seguro que los científicos la tenían tan aburrida con esos aparatos de fotografía, metidos en su pacífico lago, que decidió irse de vacaciones al Caribe...

Se da cuenta de que él la mira, muy serio, y lo acaricia un poco. ¿Cansado? No, solo un poco de calor; le vendría bien una ducha.

—·—

Oye caer lejanamente el agua, inmersa en el vapor que despiden las ollas. Tapa los alimentos y se asoma al patio. Por alguna razón, aquel cuento de la serpiente le hace recordar la ausencia de los pájaros. ¿Por qué se han marchado? Evoca el salto de los gorriones sobre la hierba mojada: sus cuerpecitos llenos, palpitantes, deliciosos... ¿Por qué habían huido?

Se recuesta a la pared. La piel de su espalda le escuece desde el mes anterior, cuando comenzó la muda. Desliza su columna a todo lo largo, rascándose con placer. Y sus pupilas disminuyen, hasta convertirse en dos ranuras ofidias.

—·—

Sirve la carne (según ella, demasiado cocida), el potaje (demasiado salado), el arroz (demasiado insípido). Él hace comentarios entusiastas sobre la sazón, que ella acepta por cortesía. Se encuentra tan hambriento que solo repara en el plato intacto de la mujer cuando termina. ¿No tienes hambre? Ella observa el perfil del hombre. Su nariz fina, un poco larga, le recuerda la silueta de un ave. Comeré más tarde, dice. Y su lengua bífida resbala entre las encías.

—·—

La sábana blanca es una llanura que espera ser conquistada. Se observan mutuamente, de pie, a cada lado de la cama. Los ojos de ambos siguen los lentos movimientos del otro, que desabrochan botones, bajan zíperes, descalzan medias, revelan desnudeces...

Ella contempla lo que ahora vuelve a la vida: no puede dejar de pensar en un animal peligroso, demasiado primitivo para sobrevivir a las emociones del mundo, pero lo bastante hábil para enquistarse y dormir un largo sueño hasta que su naturaleza lo anime de nuevo. «Es mío», piensa. Lo sabe a su merced. Eleva la mirada, buscando los ojos que ya no miran los suyos, sino cierta zona vulnerable que siempre queda oculta bajo una epidermis de visón. Lo deja apreciar, deslumbrarse. Luego avanza, y disfruta su paso elástico y sinuoso. Sabe que él no dejará de admirarla. Ella se mueve hacia su presa, que respira agitadamente, y descubre que el amor es parecido al espanto. Se detiene frente a él. Los ojos permanecen en sus ojos. Una mano rodea su cuello, y siente el impulso de arrastrarse entre las piernas del hombre. Arrastrarse y trepar, trepar hasta su prenda; tomarla en la boca; engullirla.

La mano del hombre desciende con lentitud, aparta obstáculos, palpa. Ella es húmeda como un reptil y su carne se distiende de placer. Ahora es la mujer quien se aproxima para tocar, pero se detiene a flor de piel. Únicamente sus dedos bajan a toda prisa, rozando el pelaje tibio.

Las pupilas de él crecen como las de un pájaro nocturno; las de ella menguan a punto de extinguirse. Los cuerpos ruedan sobre la planicie. Es el juego a comprobar la resistencia ajena; el deseo que quiere estallar, pero no. Es tan dulce el placer de contenerse.

Ella entreabre los ojos, y contempla el rostro aguileño que la observa casi con angustia, casi con ferocidad. Sabe que han llegado a la frontera donde el miedo y el amor se confunden. Presiente la mutación; no podrá evitarlo. Sus vértebras se estiran prodigiosamente, sus piernas aprisionan el cuerpo del hombre... y entonces advierte el cambio en su víctima: la suavidad del vello semejante al plumón, la boca succionante como garfio de rapiña, su actitud de criatura alada al borde del vuelo...

No vas a escapar, susurra ella, *soy un ofidio.* Él sonríe, encantado por la broma: *Y yo, un ave serpentaria.* Por un instante, las piernas de ella aflojan su presión. *¿Qué es eso?* Él se inclina sobre sus pechos. *Un pájaro que aniquila serpientes.* Ella ríe con ganas y clava sus colmillos venenosos en el cuello de él. «Me encanta devorar», piensa. Entonces siente el dolor: dos garras le aprietan los brazos, mientras algo picotea sus pechos.

La mujer cierra los ojos y se deja engullir.

Gárgola mía

Muchos lectores me preguntan cuál es la proporción entre realidad y fantasía que hay en mis libros. Resulta difícil responder a esto, porque ambas suelen entremezclarse. Lo curioso es que en las historias donde parece predominar la fantasía suele haber una dosis de veracidad mayor que en otras supuestamente realistas. En ocasiones, ni siquiera necesito apelar a la imaginación para inventar una trama insólita porque esta ya sucedió realmente en algún sitio.

Las cartas que el lector tendrá la oportunidad de leer a continuación son una muestra de esa dimensión tenebrosa y sobrenatural que invade nuestra vida cotidiana. Muchos preferimos ignorar tales aristas, agobiados por las zozobras del mundo en que vivimos; pero lo cierto es que existe una dimensión del horror, proveniente de épocas perdidas, que aún sobrevive en esta edad plagada de tecnología.

Un primo lejano me regaló estas cartas escritas por una tía de su madre, quien las guardó durante años en un joyero de madera —una de esas cajitas que circularon por muchos hogares de Cuba, durante la década de 1940, con incrustaciones de nácar que completaban los paisajes llenos de chinerías—. Después de que la señora murió, y sin saber qué hacer con semejante correspondencia, su hijo prefirió regalármela, sospechando que yo sabría apreciar la historia que allí se narraba y con la esperanza de que pudiera convertirla en una novela.

Sin embargo, al final no he sabido qué hacer con esta herencia. Después de pensarlo un poco, comprendí que nada de lo que yo pudiera imaginar en torno a los personajes y eventos narrados en las cartas sería más extraordinario que lo que se deduce de tan extraño intercambio epistolar. Así es que decidí publicarlas, sin quitar ni añadir nada de mi cosecha y respetando el estilo añejo de las autoras. Apenas he arreglado un poco la ortografía y alguna sintaxis enrevesada, aunque sin introducir ni omitir escena alguna. También he cambiado los nombres de algunas de las personas involucradas, y he omitido el nombre del pueblo —bastante conocido en la isla— para proteger la identidad de las familias, en caso de que algunos de los datos que aparecen en los textos permitieran reconocerlas.

A continuación transcribo la correspondencia, ordenada por fechas.

15 de febrero, 1940

Querida prima:
Siento mucho no haberte escrito antes. Si no me equivoco, hace un mes que me fui y casi dos que no nos vemos. Mi única justificación es que necesitaba estar a solas para pensar en algunas cosas, entre ellas, qué hacer con mi matrimonio. Te confieso que estoy furiosa, aunque no sé si con Ernesto o con el mundo en general. Una crece pensando que las historias de amor tienen un final feliz, pero no es cierto. Y tampoco quiero pensar en el divorcio. Sería un escándalo más que añadir a la familia; y ya es bastante que nos miren atravesado después de los rumores que corrieron cuando se rompió el noviazgo de nuestra querida prima. Por eso preferí poner tierra de por medio, a ver si me refrescaba un poco el ánimo.

Por suerte, recordé la finca de los abuelos. Casi había olvidado que guardaba las llaves en el *secrétaire* del abuelo. Las puse allí cuando me las entregaron, junto con los documentos de la herencia, y no volví a pensar en ellas. En los dos últimos años, envié a alguien un par de veces para que diera una vuelta por los jardines y se asegurara de que la casa continuaba sellada. Nunca pensé en ella como refugio... hasta el mes pasado.

Llegué en tren alrededor del mediodía. Después del velorio de tía Paquita, no había vuelto a este sitio. El pueblo sigue siendo una comarca apacible y paradisíaca —uno de esos lugares que van desapareciendo con el avance de la civilización—. Aquí los mayores estruendos son el canto de los gallos, al amanecer, y el de ciertas aves, por las tardes. Y tú solo lo conoces por referencia. Tendrás que darte una escapadita para poder enseñártelo todo.

La finca se levanta en el límite del pueblo. Su entrada aún conserva el viejo letrero de letras oxidadas con su nombre: La Fernandina... Pero la casa me pareció más pequeña que lo que recordaba; quizás la memoria infantil multiplica el tamaño real de las cosas. Sin embargo, a pesar de su condición rústica y casi ruinosa, sigue siendo uno de los rincones más acogedores del mundo.

Me costó trabajo limpiar y poner un poco de orden en la casa. Desde que abuela murió, nadie volvió a pasar un paño por los muebles. No puedes imaginarte el polvo que había, sobre todo en los cuatro libreros del pasillo. Recuerdo que abuela siempre se quejaba de aquella obsesión del abuelo por acumular libros raros. Parece que le entró esa manía cuando se mudaron para el pueblo, que está lleno de esas supersticiones propias del campo. El abuelo peleaba con ella, diciendo que necesitaba estar informado para defenderse de las fuerzas ocultas del Más Allá. Y ella le decía que quien pondría los pies más allá del pueblo sería ella, que se iría a vivir con su hermana Antoñica. Eran discusiones muy cómicas... Lo que no fue nada cómico fue la cantidad de insectos que se habían instalado en esos estantes y en el resto de los muebles, incluyendo el interior de los armarios. Me pasé dos días enteros quitando telarañas.

Solo después de que la casa volvió a ser habitable, decidí pasear un poco. Aunque había estado de visita muchas veces durante mi infancia, apenas me llevaron al pueblo y jamás llegué a conocer los alrededores. Así es que sentía curiosidad por investigar a mi antojo aquellos parajes prohibidos de mi niñez.

Sin duda, esta es una comunidad tranquila. Tiene una iglesia pequeña, su ermita, un par de farmacias, varios comercios, dos parques, un cementerio y hasta su lugar histórico que, para algunos, está embrujado. Se trata de una mansión lúgubre y en ruinas, situada en las afueras del pueblo. Los viejos de la zona afirman que en otra época fue un palacete rodeado de jardines, fuentes y canales de agua; pero ahora sus terrenos han sido devorados por la maleza de un siglo. Todo está invadido por helechos y enredaderas que crecen entre las grietas. Las lianas trepan por las paredes y apenas dejan ver la pintura original de esos muros que debieron ser naranjas o rosados. Una pátina de musgo cubre las tapias más bajas, y la hiedra que tapiza las paredes produce la impresión de que la casa está pintada de un verde grisáceo.

Su propietario murió cuando el pueblo apenas era un puñado de míseras viviendas. Desde entonces la mansión quedó deshabitada y a la espera de un comprador que jamás llegó... lo cual es una verdadera pena. La destrucción se ha apoderado del lugar, que debió ser una auténtica maravilla. Me acerqué a verlo durante el paseo y su atmósfera me cautivó. No llegué a entrar porque ya estaba oscureciendo. Me limité a vagar por los alrededores y decidí regresar a casa cuando escuché los primeros grillos, no sin antes planear una visita posterior.

Más tarde sabría que su dueño fue un millonario galés que gastó una fortuna en construirla. Todavía se notan los mármoles rosados, negros y verdes que cubren los suelos. Rejas de diseño enmarañado protegen los ventanales. Alguien me contó que los vitrales, de los que ya no quedan huellas, mostraban escenas de caza y alegorías mitológicas. Todo fue traído de diversas partes de Europa y África. Y tampoco faltan las leyendas en torno a la familia del inquilino.

Pero ya la vista se me cansa. Ha oscurecido de prisa y no tengo deseos de escribir a la luz de estos bombillos antediluvianos. Tendré que encargar algunos nuevos en el almacén del pueblo. Otro día te contaré un poco más de las andanzas de tu prima,

Elisa

12 de marzo, 1940

Querida prima:

Ayer recibí carta de Ernesto. Sospecho que mi matrimonio no tiene salvación. Mi marido es un caso perdido. Su lógica se reduce a pensar lo que es mejor para él. Nada de disculpas. Según deja entrever, la raíz de lo ocurrido es mi manera de ser, no su inmadurez. Mañana intentaré llamarlo por teléfono —una hazaña en este rincón del mundo donde solo hay teléfono en uno de los comercios—. Espero que esa conversación me ayude a decidir lo que debo hacer de una vez y por todas.

Por aquí todo sigue igual. Nada ha ocurrido desde hace tres semanas. Este sitio parece detenido en el tiempo. Por ahora, he logrado poner un poco de orden en La Fernandina. Vendí algunas cosas y compré adornos nuevos. También empecé a ocuparme del jardín, bastante desaliñado por falta de cuidado. Quiero plantar rosas, jazmines y girasoles. También trataré de rescatar un seto de *ixoras* que crecen robustas, pero necesitan una buena poda.

No creas que lo hago sola. Tengo la ayuda de mi vecina Miranda, una buena mujer que nunca se casó. Creció aquí y vio morir a muchos habitantes de la zona, incluso a su abuela, que llegó a los 96 años y fue la última criada de la mansión en ruinas.

Miranda es una excelente persona, aunque creo que los años le han robado alguna cordura. Hace poco se retiró, después de haber sido maestra en el pueblo durante cuarenta años. Así es que es una gran conocedora de la región. Pero ya sabes lo que ocurre a los ancianos: llega el momento en que comienzan a desvariar, se vuelven excesivamente cuidadosos y ven en cada acción un peligro latente. La inseguridad se apodera de ellos, quizás porque la muerte se aproxima y saben que no hay modo de escapar. Aunque mi amiga parece haber heredado la longevidad de su abuela, porque ya anda por los setenta años y apenas aparenta unos sesenta, su estado mental no parece conservar la misma agilidad que su cuerpo.

Miranda tiene una idea fija: su temor hacia la casa en ruinas. Cada vez que le pregunto sobre el particular, busca cualquier pretexto y cambia de tema. Mi último intento consistió en sugerirle que hiciéramos una visita, pero se mostró tan alarmada que terminé por decirle que mejor iba yo sola, con lo cual pareció alterarse aún más. Acabé asegurándole que había hablado sin pensar y que realmente no me apetecía hacer semejante excursión yo sola. Luego se pasó todo el tiempo observándome, como si temiera que fuera a escabullirme.

A decir verdad, me gustaría regresar allí para pasear entre las columnas del patio que, según me han dicho, sostienen enredaderas de uvas importadas por el antiguo dueño —bastante más grandes y jugosas que las que suelen darse en el trópico— y que nadie se atreve a robar. El respeto o la superstición mantienen el sitio a salvo de mayores depredadores. Pero no sé cuál es la verdadera causa de este recogimiento porque nadie está dispuesto a hablar del asunto. Ya te contaré si logro averiguar algo. No dejes de escribirle a tu prima,

Elisa

17 de marzo, 1940

Querida prima:

Aquí estoy de nuevo, con algún tiempo a mi disposición para escribirte. De mi conversación telefónica con Ernesto no te contaré nada, porque todo sigue en ascuas. Ciertas cuestiones de nuestra relación siguen sin resolverse. Tendremos que seguir hablando.

Por lo demás, estos últimos días han estado llenos de anécdotas interesantes. No sé por qué estudié pedagogía, cuando mi vocación siempre fue recorrer cuevas y explorar sitios en ruinas.

El domingo pasado, después de almorzar, fui a visitar la mansión abandonada. No le dije nada a nadie. Ya me he dado cuenta de que una simple alusión al lugar es suficiente para provocar sobresaltos en los presentes.

Debo admitir que, incluso de día, el sitio es bastante lúgubre. Parece un palacete de tres pisos, con múltiples escaleras y pasadizos en los que no quise aventurarme por temor a perderme. En su arquitectura se mezclan elementos germanos y escoceses, con algunos detalles mozárabes. Todo estaba lleno de telarañas y cada ruido se multiplicaba en mil ecos. Había restos de muebles y hasta una armadura medieval en un rincón del piso alto. Era un milagro que los vándalos no se la hubieran llevado.

Aunque apenas exploré la mitad del edificio, el tiempo pasó sin que me diera cuenta. Después de subir a una de las torres, me di cuenta de que empezaba a anochecer y decidí regresar. Bajé por una escalera de caracol, oculta detrás de una columna, que me llevó al patio central de la residencia. En ese espacio abierto, rodeado de pasillos que lo comunican con el interior de la casa, la vegetación es tan exuberante que resulta casi imposible dar un paso. Me sentí como si estuviera en plena selva. Sin embargo, decidí atravesarlo para buscar alguna verja que me llevara directamente al exterior y evitar los siniestros corredores que se hallaban en penumbras.

En ese momento me asaltó una inquietud inexplicable. Experimenté la certeza de tener una mirada clavada en la nuca y me volví. Resbalé y estuve a punto de caer en una fuente medio oculta por la maleza. Era un enorme plato lleno de agua estancada, donde florecían un par de nenúfares. En su centro se alzaba una estatua. Una especie de puentecillo, cubierto de caracoles incrustados en el cemento, atraviesa la fuente hasta la base del pedestal. Cruzando por encima del agua, se llega al pie de la imagen.

Nunca imaginé que pudiera concebirse algo tan perturbador. ¿Has visto esas gárgolas que afloran en las cornisas de las catedrales góticas? Pues esta es mucho más impresionante. Se mantiene erguida con las alas semiabiertas. Tiene piernas de gladiador y un torso de hombre muy bien esculpido, pero sus atléticos brazos terminan en garras que se abren en una actitud que no logré definir si era amorosa o agresiva. La nariz pequeña y casi inexistente parece inflamada de furia. ¡Y los ojos! Son enormes y rasgados, semejantes a los de un dios primitivo, pero parecen llamear como los de un demonio, pese a la antigüedad de la piedra. Su expresión es a la vez invitadora y aniquilante.

Existe una majestad indudable en ese monstruo enmohecido por el tiempo. Su escultor debió ser un verdadero artista, porque la obra inquieta y seduce. Apenas le hube echado una ojeada, me apresuré a alejarme del lugar, y llegué a mi casa con la sensación de que alguien me seguía. ¿Te imaginas? ¿Yo, teniéndole miedo a una estatua?

Encontré a Miranda esperándome en el portal, un poco alarmada por mi ausencia. Nadie en el pueblito acostumbra a salir después de la caída del sol, y ya eran pasadas las nueve cuando llegué. Le expliqué adónde había ido, con la intención de reírme de mis propios temores, pero me miró con gravedad y empezó a regañarme. Primero me dijo que lo que había sentido no era producto de mi imaginación. Y después me soltó una andanada de historias y teorías, cada una más disparatada que la anterior. Según ella, las ruinas conservan una energía propia, proveniente de las proyecciones astrales dejadas por muchas generaciones. Le pregunté entonces qué era eso de "proyecciones astrales" y me contestó que se trataba de las impresiones que dejan los acontecimientos en un sitio. Es como si determinados hechos quedaran grabados para siempre en un lugar. Después me contó que esa energía acumulada se activa cuando encuentra una sensibilidad propicia. Y me dijo que, debido a mis características, yo era una persona propicia para atraer esas energías dormidas. Se negó a explicarme cuáles eran esas características que me hacían tan susceptible o las razones por las cuales existía esa acumulación de proyecciones astrales en aquel lugar.

Ayer sostuvimos una larga conversación sobre el asunto, pero de eso te hablaré en otra carta. Voy a leer un poco antes de acostarme.

Elisa

12 de abril, 1940

Querida prima:

De nuevo tengo un momento de ocio. Había prometido contarte la charla que sostuve con Miranda después de visitar las ruinas. Pues bien, a la hora del desayuno recibí su invitación para almorzar. Durante la comida me contó algunos chismes sin importancia, pero cuando llegamos al café comenzó a referirme la historia más extraordinaria que he oído en mi vida.

Resulta que Mr. Willis, el dueño de la mansión, tenía una hija, fruto de un breve matrimonio en su lejana Gales. Este señor quedó viudo cuando la niña apenas contaba seis años, y su dolor fue tan grande que decidió emigrar a cualquier país que le recordara lo menos posible el escenario de la tragedia. Dejó la niña al cuidado de una nodriza y viajó hasta Cuba, donde buscó un sitio alejado de la capital para construir su nueva residencia. Así fue como llegó a estos parajes.

Pasó tres años muy ocupado con el diseño de los muebles, de los vitrales y demás detalles que encargó a diversos especialistas. Cuando todo concluyó, mandó a buscar a su hija, que llegó acompañada por su institutriz.

La muchachita, llamada Katherine, jamás tuvo contacto con la gente del pueblo. Encerrada en aquella fortaleza, aprendió a leer y a escribir en varios idiomas, y fue educada con todos los rigores propios de su clase. Amaba la poesía más que cualquier otra forma literaria y hacía grandes encargos de libros para los cuales su padre no escatimaba gastos.

Un día tropezó con un poemario que la fascinó. El nombre del autor le era desconocido, pero ella escribió al editor rogándole que le diera la dirección del poeta. Aquellos eran otros tiempos. Así es que el editor no tuvo reparos en enviarle las señas de un autor a una admiradora. Comenzó entonces una larga correspondencia de la que Miranda, para mi sorpresa, conservaba algunas cartas. Al parecer, Katherine guardó algunos borradores que llegaron a manos de la abuela de Miranda, quien trabajó para la familia durante un tiempo.

Para que tengas una idea de lo que fue aquella relación epistolar entre Katherine y el poeta, aquí te transcribo una de las primeras. He dejado sin traducir algunos sustantivos que creo corresponden a seres mágicos de Gales, porque no estoy segura de que tengan un equivalente en español:

Carta I

9 de diciembre de 1843

Estimado amigo:

Mucho me complació su última nota. A decir verdad, no esperaba que sus palabras fuesen a describir tan adecuadamente los sentimientos que también albergo. Desde aquella tarde en que leí por primera vez sus versos, experimenté esa rara sensación que a todos nos aqueja frente a ciertos objetos o sucesos desconocidos que de pronto se nos antojan profundamente familiares; ese *déjà vu* tan inquietante que, para algunos, es la mejor prueba de que hemos vivido más de una existencia en este mundo.

Tengo un vago, pero hermoso recuerdo de las colinas de mi lejana Gales que sobrevuelan las inquietantes luces de los *Will o' the Wisp*, donde deambulan los invisibles y serviciales *brownies*, y donde transcurren las fiestas secretas de *Tylwyth Teg*, ese pueblo de hadas que danzan hasta dejar sus huellas circulares sobre la hierba... Pero toda esa nostalgia no es nada comparable con el dolor de no poder verle, de saber que no podré sentarme bajo "las ramas líquidas de un sauce", como dice usted en uno de sus poemas, y deleitarme con la dulce conversación de un alma gemela que también alimenta su alma con el fuego de la poesía.

De cualquier modo, agradezco a Dios la profunda dicha de su amistad, tan preciosa para mí en esta isla lejana. No deje de poner algunas palabras para esta pobre mortal que bien le quiere y admira

Katherine Willis

Poco después, el poeta —radicado en Glasgow— envió un pequeño retrato suyo a la muchacha, quien quedó perdidamente enamorada de él. Ella reciprocó el gesto, y el joven supo que debía llegar hasta su admiradora de cualquier modo. Siendo hijo de un opulento comerciante que le enviaba una cuantiosa remesa mensual, se ofreció a pagar los pasajes de ella y de su padre. Sin embargo, Katherine tenía una salud muy delicada y ese largo viaje por mar hasta Escocia era imposible. Así es que el poeta le comunicó que él viajaría a la isla, con la única condición de que ella le confirmara que deseaba casarse con él. Por supuesto, Katherine aceptó.

Me imagino que te habrás quedado tan pasmada como yo ante semejante decisión tomada por esa vía, pero Miranda me aseguró que esas cosas sucedían en el pasado. La gente decidía casarse sin conocerse, o conociéndose apenas, y el matrimonio duraba toda la vida. ¡Qué ironía! Hoy un matrimonio puede durar menos que el noviazgo...

Miranda me dejó leer los borradores que estaban en poder de su abuela, pero todos son más o menos como el que leíste. Si ahora te copio la última carta que ella le envió a Inglaterra, es solo porque me parece interesante para juzgar lo que ocurrió después:

Carta II

15 de agosto de 1845

Amor mío:

Siento un raro presentimiento en el alma. Aunque la noticia de tu viaje ha colmado mis esperanzas, no puedo evitar el inquietante temor de que algo pueda enturbiar nuestra dicha. Cuando la felicidad alcanza las puertas del paraíso, siempre ocurren imprevistos que se encargan de nublar el cielo.

No hago más que pensar en ti a toda hora. ¿Cuál es el tono de tu voz? ¿De qué modo cerrarás los párpados cuando el sueño te vence? Te imagino de mil maneras distintas, cada una de ellas más radiante que la anterior.

En estos días no soy dueña de mí. Hablo tonterías y ya he roto la mitad de la vajilla de porcelana. No veo el momento de ver aparecer tu carruaje por la calzada. Palpito como un corazón enajenado. Vuelco puñados de flores sobre mi cabeza, como una Ofelia a punto de caer en total paroxismo. El viento suena más dulce a mis oídos.

¿Me seguirás amando cuando me veas, cuando escuches mi voz, cuando veas mis gestos? Perdona. Sé que te enojan mis dudas... Cada noche ruego a Dios que despeje tu sendero de sorpresas, que aparte cada rama de tu rostro, que no pueda el universo herirte siquiera con la pluma que caiga de un ave en pleno vuelo.

Amor mío, mi vida pende de la tuya, de ese lejano corazón que palpita al otro lado del mar. No permitas que nada te ocurra. Recuerda que solo seguiré viviendo mientras tú también respires sobre la faz de la tierra.

Tuya siempre,
Katherine

Por desgracia, las premoniciones de la muchacha se cumplieron. El barco donde viajaba el poeta desapareció en medio de un huracán y la joven cayó en un estado de enajenación cercano a la demencia. No hablaba con nadie, apenas comía y dejó de moverse por iniciativa propia. Su padre, alarmado ante tales síntomas, consultó con varios doctores, pero ninguno pudo darle una solución. Katherine se hundía cada vez más en la locura y nadie sabía qué hacer. Entonces la vieja institutriz, una inglesa que la amaba como si fuera su hija, tomó una decisión. Y aquí empieza la parte verdaderamente escabrosa del asunto.

Una noche, la buena señora sostuvo una larga conversación con ella. Más bien fue un monólogo, pues Katherine no había vuelto a hablar desde la muerte de su prometido. La institutriz le aseguró que conocía un medio para que ambos pudieran volver a reunirse. Por primera vez, después de muchos días, la muchacha levantó la cabeza para mirar a su madre de crianza, quien comenzó a explicarle en qué consistía todo.

En su temprana juventud, la refinada inglesa había pertenecido a una secta que oficiaba un culto en torno a una divinidad pagana, cuya estatua se levantaba en una gruta de cierto bosque al sur de Monmouth. La secta había efectuado varias ceremonias que culminaron en escándalos. Al final intervino la ley, arrestando a sus principales cabecillas. El resto de los miembros se dispersó por el mundo, pero la anciana suponía que el ídolo debía encontrarse aún en su sitio: un lugar protegido y al que difícilmente se podía llegar si no se conocían los pasadizos pertinentes. No obstante, la dama le aseguró a Katherine que aún guardaba un mapa con la ruta secreta que conducía al ídolo. Si se seguían sus indicaciones, sería posible localizarlo y traerlo. Únicamente él, explicó la institutriz, sería capaz de devolver a Katherine su amante perdido.

Así como lo oyes, prima. La mujer se proponía resucitar, en esta isla del Caribe, el culto a una deidad prohibida, cuyo origen se perdía en la noche de los tiempos y cuyo nombre ni siquiera quiso mencionarle a la muchacha.

Katherine salió entonces de su inactividad. Se presentó ante su padre y le habló de su nuevo interés por estudiar las leyendas y las tradiciones de Gales. Para ello necesitaba libros y algunas otras cosas. Luego le mostró el mapa con las instrucciones precisas para llegar hasta la estatua de piedra que deberían traerle.

El padre se quedó atónito ante tan extraña solicitud, pero su alegría ante la recuperación de su hija fue tan grande que accedió de inmediato a todo. Cuatro meses después, la estatua —que como habrás imaginado, es la pavorosa gárgola— se alzaba en su pedestal, en el patio interior de la mansión.

Lo que sigue, prefiero dejarlo para otro día. Ya es tarde y te confieso que últimamente me siento un poco inquieta en medio del silencio que me rodea. Espero que no te burles de mis nervios. Aunque esta historia tiene mucho de leyenda, no deja de ser impresionante. Hasta entonces, espera por las palabras de

Elisa

4 mayo, 1940

Querida prima:

Reconozco que estas cartas se han convertido en una sucesión de episodios con sabor a novela gótica, pero confío en que tu ánimo sea tan curioso como el mío. Aquí nunca pasa nada. Y una buena historia, por improbable que sea, bien vale la pena ser escuchada.

Voy comprendiendo las razones del miedo que impera en torno a las ruinas y, en especial, hacia el ídolo. ¿Podrás creérmelo? Ayer volví a aventurarme por aquel sitio, al que yo misma había decidido no regresar. Es indudable que las cosas antiguas siguen ejerciendo una fascinación especial sobre mí. Esa es otra de las diferencias entre mi exmarido y yo. Y digo "ex" porque he decidido pedir los papeles para el divorcio. Después de que habláramos de nuevo por teléfono hace dos días, me di cuenta de que somos totalmente incompatibles. Él prefiere examinar lo conocido; yo, la excitación de lo inexplorado. Él busca la comodidad; yo, la aventura. No me refiero a jugarme la vida, porque esa es una idiotez que han inventado los hombres. Me refiero a la posibilidad de develar los secretos del conocimiento... Muchas veces he tenido la impresión de que nuestros antecesores quisieron comunicarnos ciertos secretos a través de los objetos que nos han legado. El universo es un gran enigma.

Para ponerte un ejemplo. En mi tercera visita a la mansión, me asaltó la sensación de que la gárgola era capaz de transmitir las emociones del escultor que la creó. Cuando me acerqué, hubiera jurado que se percibía un aire de alborozo proveniente de ella, que luego se transformó en un aura de alerta, como si aguardara algo.

Sé que todo esto puede resultar ridículo, pero trato de describir mis impresiones sin ocultar nada. Esa es la magia del arte. Creo que las formas o los mensajes contenidos en una obra pueden provocarnos diversos estados de ánimo que quizás sean una mezcla de nuestros propios sentimientos, ante la contemplación del objeto creado, y los del propio artista, que dejó plasmados los suyos en la obra... Reflexiones aparte, te prometí continuar con la historia de Katherine.

Una vez que la estatua quedó instalada en el patio, la señora llamó a Katherine y le dijo que el momento propicio para la ceremonia sería dentro de cinco días, a la medianoche, cuando hubiera luna nueva. Katherine expresó su preocupación de que su padre o algún sirviente las sorprendiera, pero la mujer le aseguró que ella misma echaría ciertas hierbas sedantes en la bebida. Había un solo inconveniente: necesitaban de otra persona que fuera mujer y virgen para que encendiera los cirios. No podía ser la propia Katherine, porque la ceremonia era para ella. En el pueblo había una decena de jovencitas casaderas. Una de ellas era Rebeca, huérfana de quince años, que vivía limpiando casas. Katherine le rogó a su padre que le ofreciera trabajo a aquella niña, pretextando que le sería de mucha ayuda, pues su vieja ama de llaves se movía cada vez con mayor dificultad. El padre accedió, ignorando la conspiración que se fraguaba bajo su propio techo. Esa jovencita, que pasó a vivir en la mansión, sería la abuela de Miranda. Años después, en su lecho de muerte, la inglesa le entregaría a Rebeca las copias de las cartas que Katherine había enviado a su novio, con la encomienda de que las preservara, porque ella no había tenido valor para quemarlas.

Por fin llegó la ansiada noche. Reinaba un silencio de sepulcros cuando las tres mujeres se dirigieron a la fuente. Por indicación de la institutriz, tanto Rebeca como Katherine vestían unas túnicas verdes que la inglesa había cosido en secreto. Se encendieron dos velas negras y otras dos rojas, que fueron colocadas alrededor de la estatua. Katherine recibió la orden de quitarse la túnica y acercarse al ídolo. En aquel instante, el reloj del comedor comenzó a dar las campanadas de la medianoche. La mujer inició una letanía que, aunque pronunciada en un idioma desconocido, produjo un sopor general.

Desde las sombras del corredor, más allá de la estatua, Katherine vio aparecer la figura de una desconocida con los cabellos sueltos y una túnica semejante a la que ella vistiera. ¿Por dónde había entrado? La mansión se cerraba cada noche, colocando trancas y todo tipo de cerrojos en las puertas. Solo los ventanales enrejados quedaban abiertos a la brisa nocturna, pero ni siquiera un niño pequeño hubiera podido colarse a través de sus intrincados dibujos.

Otra figura apareció junto a la primera. Esta vez, Katherine advirtió que brotaba de la nada, a unas pulgadas del suelo. Poco a poco descendió hasta posarse en él. La figura, que al principio había tenido cierta cualidad traslúcida, cobró consistencia hasta dar una impresión de solidez. Enseguida apareció otra silueta. Y luego otra, y otra, y otra... Cada espectro —pues era difícil dudar que lo fueran— surgía en el aire en medio de una fosforescencia. Y a medida que se posaban en el suelo, sus cuerpos transparentes iban cobrando densidad hasta parecer personas de carne y hueso. De no haber sido por los rezos de la institutriz, la abuela de Miranda habría huido aterrada, pero aquel murmullo la mantenía como hechizada. Otro tanto parecía ocurrirle a Katherine, quien tampoco hizo gesto alguno de escapar, aunque sus ojos aterrados indicaban que solo deseaba huir de allí. Sin embargo, el único movimiento perceptible en ella era su agitada respiración.

Cuando las misteriosas damas duendes terminaron de encarnarse, iniciaron una ronda en torno a la fuente, acompañando con sus pasos las oraciones de la institutriz. Los cánticos culminaron en una nota que se mantuvo unos segundos en la noche. Entonces los espectros detuvieron su marcha y se volvieron hacia la fuente. Con creciente terror, la niña vio que la estatua se movía. Katherine soltó un grito contenido que al instante fue sellado por la boca del monstruo, que la tomó en sus brazos y la besó. Algún hechizo poderoso debía tener aquel monstruo, porque el forcejo de Katherine cesó. Al instante dejó caer los brazos y permaneció inmóvil bajo el abrazo de la gárgola.

Años más tarde, Rebeca le contaría a su nieta que cuando el monstruo se separó de Katherine, después de besarla, su rostro había cambiado. Ahora parecía un mancebo pálido, de mirada soñadora y tímida, que contrastaba con su torso de garras poderosas. Al ver aquel rostro, Katherine gritó y se aferró con fuerza a sus hombros, mirándolo con una expresión de fervor absoluto. Algo más extraño ocurrió entonces. Sujeta aún a la estatua, la joven inició unos movimientos continuos y casi dolorosos, que fueron secundados por el monstruo. Tras unos minutos, Katherine fue presa de temblores y acabó desmadejándose entre las oscuras garras. Seguidamente fue izada por las misteriosas mujeres, que la llevaron a su habitación. Mientras salían, las velas se apagaron solas, como si una ráfaga hubiera soplado sobre la vegetación del jardín, aunque ni una hoja se movió. Muchos años después, Rebeca comprendería lo que había visto: poseída por un embrujo inexplicable, Katherine había entregado su virginidad al monstruo de piedra.

Miranda cree a pie juntillas el relato de su abuela. Por mi parte, no dudo de que aquella noche se haya efectuado alguna especie de rito donde se mezclaron ciertos misterios relacionados con deidades paganas como Príapo o Pan. Pero solo eso. Un sitio lúgubre a la medianoche, algún sahumerio alucinógeno, y una joven de imaginación febril que se desnuda delante de una estatua que exuda virilidad, son suficientes para confundir los sentidos.

Se lo dije a Miranda con mucho tacto, pero ella me pidió que la dejara terminar la historia. Aunque eso lo dejo para la próxima carta.

Te deseo dulces sueños,

Elisa

23 de mayo, 1940

Querida prima:

Últimamente padezco de una modorra insoportable. Quizás se deba al insomnio que me persigue desde que volví a visitar la mansión. De noche no puedo dormir y por el día hago mis labores medio atontada. Trabajo en el jardín por las mañanas, pero sin mucho ánimo. Tampoco estoy comiendo gran cosa. Aunque quiero el divorcio, la idea de la separación me sigue angustiando... Pero trataré de sobreponerme a la soledad que ya veo venir y continuaré mi relato sobre Katherine.

Después de la ceremonia se desató una pasión insana en la antes casta doncella, quien exigió a su aya, una y otra vez, la consumación del rito. Aquello terminó por quebrantar su delicada salud, porque la potencia del hechizo le robaba cada vez más fuerzas. Su locura amorosa desembocó en un acto de lascivia, y eso fue fatal para su alma.

Una noche, su delicado organismo no pudo más y Katherine cayó muerta entre las garras del ídolo. De inmediato la llevaron a su alcoba, donde fue convenientemente vestida por la institutriz. Su padre la encontró a la mañana siguiente. Y, sin sospechar la verdadera causa de su muerte, la enterró con todos los honores de una doncella. El aya inglesa la sobrevivió un año, convencida de que había ofrecido a la joven algunos meses de felicidad. Antes de morir, entregó a la abuela de Miranda los borradores de las cartas y los documentos sobre la secta, haciéndole jurar que reviviría los ritos o los entregaría a quien quisiera continuarlos. Tres años después falleció el padre de Katherine, consumido de tristeza por la pérdida de su hija.

De acuerdo con el testamento, los bienes se repartirían entre unos lejanos parientes de Stafford y algunas instituciones de caridad. La abuela de Miranda, que había sido un gran sostén para el hombre tras la muerte de Katherine y del aya, recibió también una generosa remesa y pudo mejorar su posición social y casarse. La mansión —incluida en la herencia otorgada a los familiares ingleses— fue puesta a la venta, pues ninguno de sus nuevos dueños tenía el menor deseo de vivir en el trópico. Sin embargo, nadie llegó a comprarla. Cada vez que algún interesado hacía su recorrido por el palacete, sucedían los percances más desagradables: la esposa de un industrial norteamericano recibió un fuerte tirón de cabellos que casi la hizo rodar por la escalera, un comerciante español fue golpeado por varios objetos que le lanzaran atacantes invisibles, cierto senador escuchó junto a su oído secretos terribles y vergonzosos sobre su vida... Y todo eso, a plena luz del día.

Miranda y yo hemos discutido sobre la veracidad de tales anécdotas. Ella me aseguró que no las ponía en duda, pero yo he tenido que ser sincera y decirle que apenas puedo dar crédito a una pequeña parte de la historia.

Terminamos riñendo acaloradamente y nos despedimos bastante molestas, lo cual me entristeció, porque Miranda ha sido la única persona en este pueblo que me ha ofrecido compañía desde que llegué.

Mañana trataré de hacer las paces.

Elisa

24 de junio, 1940

Querida prima:

Por estos días estoy bastante deprimida. Mi abogado me envió los papeles del divorcio para que los leyera y firmara. Pese a que los esperaba con ansiedad, ando de capa caída. Cuando uno se acostumbra a convivir con alguien, la separación no resulta fácil. Para colmo, Miranda sigue enojada conmigo. Así es que me he quedado sin mi paño de lágrimas. Pero tampoco creo que fuera honesto decirle que me creo ese cuento de brujas, solo para que me brinde un hombro donde llorar.

Ayer hablamos un rato. Ella seguía insistiendo en que no se trata de ningún invento y que jamás engañaría a alguien sobre un asunto tan escabroso. Le expliqué que nunca pensé que quisiera mentirme, sino que simplemente estaba creyendo en algo inexistente, pero no quiso escucharme. Nuestra amistad se mantiene muy tirante. No sé qué hacer. ¿Podrías ayudarme con algún consejo?

Tu agobiada prima,

Elisa

17 de julio, 1940

Querida prima:

Seguí tu consejo y ha dado resultado. Invité a Miranda a un café y conversamos largamente. Traté de ponerme en su lugar. Aunque me resulta muy difícil intentar pensar con esa mentalidad algo pagana del siglo pasado, que aún persiste en ciertas almas, por lo menos comprendo que se trata de una manera diferente de ver el mundo.

De todos modos, si aceptáramos que lo ocurrido en esa ceremonia fue cierto, es imposible justificar el comportamiento del aya frente a su pupila de dieciséis años. Si la quería tanto, resulta inexplicable que la hubiese llevado a semejante situación. Miranda alega varias razones, aducidas por su abuela. En primer lugar, la inglesa anhelaba convertirse en una dama duende, y eso únicamente podía lograrse ofrendando al ídolo la virginidad de una doncella. En segundo lugar, jamás pensó que la ceremonia le haría daño a Katherine. En su juventud, ella también se había entregado a aquella gárgola, amante de otras muchas doncellas que ahora danzaban a su alrededor cuando eran invocadas. No guardaba un mal recuerdo de la experiencia. Todo lo contrario, había resultado placentera. La institutriz, a su vez, había sido iniciada por una amiga que le aseguró que la ceremonia le ayudaría a olvidar el amor de cierto caballero, fuera de su alcance social. El monstruo de piedra era complaciente y siempre adoptaba la forma deseada por la joven cuya doncellez era sacrificada a su abrazo. Además, encontrar un amante que la ayudara a olvidar un amor imposible, sin el peligro de que pudiese revelar ese secreto en conversaciones de salón, había sido estímulo suficiente para que ella y otras doncellas despechadas o afligidas se entregaran al rito.

Nada de esto me convenció. Suponiendo que la ceremonia hubiese funcionado, no existe lógica alguna en sustituir un amor tangible —por imposible o doloroso que sea— por el abrazo de un amante sobrenatural. Estuve tentada de proponer que hiciéramos esa ceremonia ridícula, solo para demostrarle su propia ingenuidad... A decir verdad, no es una mala idea. Podría ser muy divertido escuchar cómo intenta justificar tres horas de aburrimiento en ese caserón, sin que nada ocurra.

Elisa

13 de septiembre, 1940

Querida prima:

Sigo deprimida con el asunto del divorcio. No es exactamente que extrañe a Ernesto. Y eso es lo raro. No sé si es que uno se acostumbra a los defectos de alguien, o simplemente a la compañía, aunque esta no sea siempre la mejor. Quizás habría que preguntarle a un psicólogo. Lo cierto es que lloro mucho. Me siento muy sola. A veces tengo la impresión de que he perdido todas las oportunidades de lograr algo en mi vida.

Tampoco quiero regresar a la ciudad. Creo que estoy mejor aquí, lejos de las amistades y los lugares que me recuerdan a esa otra persona que fui hace meses. ¿No quisieras venir a visitarme?

Tu desconsolada,

Elisa

3 de octubre, 1940

Querida prima:

¿Cómo se te ocurre pedirme que considere la posibilidad de regresar con Ernesto? Ni que estuviera loca. Por muy deprimida que me sienta, sé que la solución no está en volver a un matrimonio donde ya no hay amor. Y no sé si la soledad o el ambiente me estarán robando la cordura, pero esa otra solución que propusiste en broma, por lo disparatada que es, no me lo parece tanto. Casi estoy decidida a seguirla.

Perdona esta carta tan corta. Estoy cansada. Otro día te escribiré más.

Elisa

16 de octubre, 1940

Querida prima:

Ayer hablé con Miranda, quien me miró como si yo hubiera perdido la razón cuando le propuse repetir el ritual. No podía entender para qué quería ponerme en semejante peligro. Le dije que mi educación me impedía creer en ciertas cosas, pero que quizás yo estuviera equivocada y ella tuviera razón. Le aseguré que si los acontecimientos empezaban a ocurrir como le había contado su abuela, detendríamos la ceremonia y nos marcharíamos. No ha querido escucharme y se ha marchado enseguida. Si hubieras visto su cara... Casi me eché a reír.

Sospecho que sintió pánico de verse descubierta. Tiene tantos deseos de creer en esas fantasías que estoy segura de que jamás querrá prestarse a hacer nada, por temor a verlas destruidas.

Creo que voy a cambiar de estrategia. Debo asegurarle que me ha convencido y que quiero hacer el rito para olvidarme de mi divorcio. Supongo que tendré que convencerla de que necesito un amante.

La verdad es que me siento un poco culpable por querer divertirme a costa de la credulidad de Miranda, pero te aseguro que se trata de una diversión sana. Si logro sacarle esas ideas de la cabeza, dejará los temores que siempre la acosan. No es bueno que una persona conviva con tanta superstición.

Te mando un beso,

Elisa

27 de octubre, 1940

Querida prima:

Me costó mucho convencer a Miranda para que hiciéramos la ceremonia. Finalmente me aseguró que solo lo haría para mostrarme que nadie había inventado nada y que debía cambiar mi modo de ver la realidad.

Nuestro único problema era que no contábamos con ninguna virgen para que encendiera los cirios. Le dije que bajo ningún concepto llevaría yo a una niña inocente a presenciar cómo una mujer se desnudaba en medio de unas ruinas. Miranda se sonrojó antes de confesarme que ella misma podía encenderlos, porque jamás se había llevado un hombre a la cama. No usó esa frase, por supuesto, sino algo como "nunca he conocido íntimamente a nadie".

Por lo menos, pasaré un rato entretenido. Una vez que el ritual concluya sin que haya aparecido ningún fantasma, Miranda no podrá tacharme de incrédula. Yo le habré demostrado mi buena fe y podremos reanudar nuestra amistad sin nuevos reproches.

Ya te contaré.

Elisa

1° de noviembre, 1940

Querida prima:

No sé cómo empezar esta carta para no alarmarte. Yo misma no sé si debería ingresar en un sanatorio. Estoy a punto de creer que Dios se tomó tan poco tiempo para hacer este mundo que decidió inventar otro que no conocemos. La ceremonia de la pasada noche ha resultado totalmente insólita y muy diferente a lo que imaginé.

Llegué a casa de Miranda a once de la noche. Me dijo que había tenido que tomarse un cocimiento de tilo para tranquilizarse los nervios. Me ofreció una taza, pero no acepté. No quería arriesgarme a que me echara una droga que me hiciera ver espectros, pero por supuesto no le dije nada de esto. Había luna nueva. Así es que la oscuridad era total. Tuvimos que alumbrarnos el camino con un quinqué. Miranda reguló las llamas para no llamar la atención, por si algún noctámbulo se asomaba a la ventana en este pueblo donde todos se acuestan a las nueve de la noche. Yo llevaba un bulto de ropas que Miranda me había entregado casi con reverencia. Me dijo que eran las mismas que habían usado Katherine y la institutriz. Su abuela se las había dado, junto con el paquete de cartas, y las instrucciones que también llevábamos ahora.

Cuando llegamos a la mansión, nos quitamos nuestros vestidos y nos pusimos las túnicas. Por lo menos, tuve que admitir que se trataba de ropajes muy antiguos. No encontré botones, ni cremalleras, y tuve que ajustármela al cuerpo con lazos. Examiné la textura de la tela, que era muy diferente a las que conozco. No puedo decir que se tratara de un tejido más rústico o delicado que otros. Era sencillamente diferente. Y el olor... Despedía un aroma particular que no era de esta época, como si la atmósfera de otros siglos hubiera contaminado el tejido, y ahora pudiera respirar el aire del pasado.

Miranda encendió dos velas negras y dos rojas, que colocó alrededor de la fuente. Me acerqué a la estatua para observar sus rasgos, pero la luz de las velas, lejos de mitigar la oscuridad, contribuía a crear nuevas sombras.

Miranda susurró que debía despojarme de la túnica delante de la estatua. Pero me negué a eso. En primer lugar, me parecía una pesadez tenerme que despojar de aquel traje tan complicado cinco minutos después de habérmelo puesto. Tampoco pensaba pescar un resfriado antes de empezar un ritual idiota. Pero no le dije nada de eso a Miranda. Más bien apelé a razones de pudor. Por unos segundos guardó silencio y al final me dijo que no iba a forzarme a nada, y que pensándolo bien, mejor nos íbamos de aquel sitio, que nuestra amistad no valía el hecho de tener que poner en peligro mi alma y que podíamos seguir siendo amigas. Le aseguré que mi alma no corría peligro alguno y que, puesto que ya estábamos allí, hiciéramos lo que habíamos ido a hacer. Entonces comenzó a rogarme que nos fuéramos, que tenía un mal presentimiento. Sospeché que estaba buscando pretextos para justificar lo que no ocurriría. No le hice caso, le volví la espalda y me acerqué a la estatua.

Después de un minuto de silencio, Miranda comenzó a recitar las frases escritas en un pergamino que me había mostrado el día anterior. Sentí el impulso de pegarme a la estatua. Apenas la rocé, experimenté una curiosa sensación de estremecimiento. Lo raro es que no podía asegurar que el temblor proviniera de mí. Pensé que quizás debía acercarme más al ídolo, para asegurarme de que había sido una impresión pasajera. Fue como si unas manos invisibles me hubieran empujado para que lo hiciera. Cuando mi cuerpo se puso en contacto con el monstruo, sentí que la sangre se me acumulaba entre los muslos. Fue una sensación vergonzosamente agradable. La lectura de Miranda comenzó a causarme sopor. Daba la impresión de una plegaria hipnótica. Y aunque no entendía las palabras, casi sentí que entre esas frases desfilaban parajes remotos y nombres de deidades oscuras y olvidadas.

Se produjo un silencio bastante largo. Ya empezaba a quedarme dormida, cuando escuché a mis espaldas una nueva letanía que me puso los pelos de punta. Era una especie de rezo, cantado en otra lengua desconocida, ahora de una cualidad cruel y remota que no guardaba semejanza con nada que hubiera escuchado antes. Parecía imposible que una garganta humana pudiera pronunciar aquellos sonidos... Súbitamente comprendí que esa voz no era la de Miranda.

Me volví a medias y lo que descubrí me heló la sangre. En el lugar que antes ocupara mi amiga, se hallaba una mujer desconocida y de aspecto cadavérico, con una túnica semejante a la mía, que recitaba aquel cántico con los ojos cerrados, concentrada en las resonancias de su propia voz. Otra más apareció junto a ella, como si hubiera surgido de las sombras. Y otra más atrás. Y otra, y otra... Quise moverme, pero no pude. Y de pronto me di cuenta de que estaba desnuda. Alguna fuerza me había despojado de mi túnica, que yacía sobre unos helechos al borde del estanque.

En ese instante comencé a escuchar las campanadas de la medianoche, tocadas por el mecanismo instalado en la torre de la iglesia. Me cuesta trabajo describir lo que ocurrió después, porque mis recuerdos son vagos. Un raro letargo se apoderó de mí, sin que ello significara que tuviera sueño. Tenía miedo, pero a la misma vez no podía escapar. Percibí que la piedra frente mi pelvis cobraba un calor inusitado. Advertí la dureza de una carne viva y palpitante entre mis muslos. Estaba aterrada. Una parálisis inexplicable me impedía todo movimiento. Incluso me pareció que los rasgos de la estatua comenzaban a cambiar. Cerré los ojos, llena de miedo. Algo ejercía una presión enorme bajo mi cuerpo. Traté de buscar apoyo. Y aunque no podía moverme para alejarme de la estatua, pude levantar los brazos para apoyarme en sus hombros. Tan pronto lo hice, me sobrecogió el mareo. Todo se llenó de sombras rojas. Percibí la presión de una sustancia que no era carne ni piedra, sino ambas a la vez, pugnando por penetrarme. El dolor y el placer se mezclaron en aquella caricia lenta y suave, pero firme e implacable.

No sé qué sucedió después. Hubiera jurado que hice el amor con un hombre de piel pálida como la luna, y ojos negros y sobrehumanos. Hubiera jurado que allí, en aquel sitio desolado, me entregué a un ángel con brazos de monstruo. Y si creyera en ciertas cosas, diría que fui hechizada.

Supongo que me desmayé. En mi inconsciencia, vi los rostros de varias mujeres que se inclinaban sobre mí y que se me antojaron la concreción misma de la antigüedad. Cuando recobré el conocimiento, me descubrí sola y desnuda ante la estatua. Podrás imaginarte mi indignación. No dudé que Miranda había preparado aquel aquelarre y había puesto algún somnífero en las velas, cuyos vapores debieron provocarme aquellas alucinaciones.

Regresé a toda prisa, después de vestirme. Cuando llegué a su casa, encontré todas las luces encendidas y varios vecinos en el portal. Hacía una hora que habían tenido que llevársela a un hospital cercano, presa de un dolor en el pecho. Una vecina estaba segura de la hora porque la iglesia acababa de dar las doce cuando Miranda tocó a su casa.

Me sentí totalmente desconcertada. Había veinte minutos de camino entre la mansión en ruinas y el pueblo. Por tanto, si Miranda había llegado al pueblo a las doce, tuvo que haberse marchado de la mansión al menos *quince minutos antes*... Y si Miranda se había sentido tan indispuesta que había huido del lugar quince o veinte minutos antes de aquellas campanadas, ¿quién había recitado la segunda parte de aquella letanía?

No sé qué pensarás de todo, pero no te reprocharé si no crees una palabra de lo que te he contado. Por mi parte, no he podido dormir en toda la noche.

Elisa

28 de noviembre, 1940

Querida prima:

Te aseguro que mi carta anterior no ha sido una broma. No estoy de ánimos para eso. Ando sumida en una confusión enorme. No puedo dormir bien, y no creo que consiga descansar hasta que logre resolver el misterio de lo que sucedió. Ya no me siento asustada, sino más bien ansiosa por averiguar más.

A medida que han pasado los días, he vuelto a rumiar la idea de volver a repetir la ceremonia. He conversado largamente con Miranda, que ahora se repone de un leve infarto en el hospital del pueblo. Me ha jurado por los restos de sus padres que jamás me dio a beber ni a oler pócima alguna, y que tampoco conspiró con nadie para preparar ritual alguno. No sabe lo que pudo ocurrir aquella noche porque me asegura que, después de llamarme inútilmente y de amenazar con marcharse, sin que al parecer yo la escuchara, salió corriendo apenas escuchó un ruido a su espalda.

He estado leyendo en los libros del abuelo todo lo que he encontrado sobre sectas antiguas, que no es gran cosa. Pero he descubierto algunos volúmenes casi prehistóricos sobre el asunto. He llegado a la conclusión de que tal vez algunos cultos no sean más que mecanismos para dar rienda suelta a nuestros instintos; instrumentos para conectarnos con otra realidad que vive dentro de nosotros, a la que no podemos acceder a través de nuestros sentidos habituales, pero que sacamos a la luz bajo ciertas circunstancias.

Me insinúas que tal vez lo he soñado. ¿Qué quieres que te diga? Pudiera admitir que todo es fruto de un delirio. Pero soy capaz de poner en duda mis propias vivencias, lo cual es algo que una mente trastornada jamás haría.

Ni los libros ni Miranda me han aclarado mucho. Ella solo me ha contado que esas damas duendes son los espíritus de las doncellas que sacrificaron su virginidad a la lujuria del ídolo o de aquellas otras, que no siendo vírgenes, participaron en las ceremonias.

También me ha advertido que no repita la experiencia. Teme que la voluntad del dios se apodere de la mía para siempre. Como comprenderás, no puedo hacerle caso. Es cierto que quiero repetir el ritual, pero no porque me sienta fatalmente atraída hacia el extraño placer que produce, sino porque quiero descubrir la verdad.

Miranda insiste en que mis explicaciones revelan que he caído bajo las redes del ídolo, que el recuerdo de esa noche persiste como una experiencia abrumadoramente seductora. Su abuela también le había advertido que eso sucedía. Y también le dijo que si la doncella regresaba ante la estatua, movida por el deseo de repetir la ceremonia, sería imposible rescatarla del embrujo. Miranda cree que el ritual abre una suerte de canal o ruta de acceso entre el ídolo y su víctima, quien ya no necesitará la ayuda de nadie para un segundo ritual. Y con esto, caerá definitivamente bajo el influjo del dios.

Pero no creo que mi voluntad haya caído en una trampa irracional, ni mucho menos. Eso iría contra todas las leyes naturales que conocemos. Por eso he decidido volver sola. Necesito investigar qué pudo haber ocurrido esa noche o no podré dormir tranquila. Volveré a escribirte y te contaré. Hasta entonces,

Elisa

(Nota aclaratoria para el lector: No hubo más cartas después de esta).

Esta edición de

EXTRAÑOS TESTIMONIOS.
PROSAS ARDIENTES Y OTROS RELATOS GÓTICOS

ha sido impresa por Service Point,
en Madrid, marzo de 2017.

Huso